LE PRIX QUIXTAR
EST LE BON !

LE PRIX QUIXTAR EST LE BON
Édition originale publiée en anglais par INTI Publishing, Tampa, FL
(É.-U.), sous le titre :
THE QUIXTAR PRICE IS RIGHT
© 2003, Bill Quain
Tous droits réservés

NET LIBRIS
815, boul. St-René Ouest, Local 3
Gatineau (Québec)
J8T 8M3 - CANADA
Tél.: (819) 561-1024
Téléc.: (819) 561-3340
Courriel : info@netlibris.ca
Site web : www.netlibris.ca

Traduction : Claude Charbonneau
Infographie : Richard Ouellette Infographiste, rouel@videotron.qc.ca

Dépôt légal - 2004
Bibliothèque nationale du Québec
Bibliothèque nationale du Canada

ISBN 978-2-922882-04-9

Imprimé au Canada

LE PRIX QUIXTAR
EST LE BON !

LE RAPPORT PRIX-BÉNÉFICE ET SA SIGNIFICATION
POUR VOTRE COMMERCE

BILL QUAIN, PH.D.

REMERCIEMENTS

Du mot **ÉQUIPE** peut être tirée l'expression suivante : *Ensemble, quel important pouvoir d'exécution!* Rien de plus vrai, surtout lorsque vos coéquipiers sont Katherine Glover et Steve Price d'INTI Publishing.

Qu'il s'agisse d'idées nouvelles, de réécriture laborieuse de textes, de conception de page couverture, de mise en page, ou encore de commercialisation, Steve et Katherine font très bien les choses, et avec le sourire. Merci à vous deux, vous êtes les meilleurs!

CE QUE LE PRÉSENT LIVRE VOUS ENSEIGNERA

Assurément, une décision courageuse, prise au départ,
sous-tend tout commerce prospère.
— PETER DRUCKER, GOUROU DE LA GESTION

Tout enseignant aime les jeux-questionnaires impromptus, et je ne fais pas exception à cette règle. D'ailleurs, je vous propose un petit casse-tête ; tentez votre chance !
Que paie-t-on 39 cents le lundi, 79 cents le mardi, et 2,50 $ le mercredi ?
Vous savez ?
Un sac de 85 grammes de maïs éclaté !
« Quoi ? Comment un petit sac de maïs éclaté peut-il coûter plus de six fois plus cher en l'espace de deux jours ? » me direz-vous. Rien de plus simple. Laissez-moi vous raconter l'histoire des prix « éclatés » du maïs éclaté.

DESTINATION INCONNUE !

Les prix et les vacances non planifiées ont une chose en commun : le point d'arrivée est loin d'être précis !

Au cours des cinq dernières années, notre famille s'est payée un mois de vacances dans le Nord-Est des États-Unis. Avant le départ pour notre dernier périple, nous nous sommes rendus dans un supermarché local afin d'y faire le plein de nourriture. Un des produits achetés était un emballage de six sacs de 85 grammes de maïs éclaté pour micro-ondes à 2,36 $, donc 39 cents le sac.

Le contenu des six sacs s'étant « volatilisé » en deux jours, nous avons acheté au dépanneur encore plusieurs sacs de 85 grammes à 79 cents pièce.

Le lendemain matin, puisque la journée s'annonçait pluvieuse, nous avons décidé de nous offrir une sortie au cinéma. Mais, écouter un film sans déguster du maïs éclaté, c'est impensable ! J'ai donc payé à chacune de nos deux filles un petit sac de maïs éclaté. Quel était le prix d'un sac ? Deux dollars cinquante (2,50 $) !

Voilà! Le même produit, acheté dans trois commerces différents pendant trois jours successifs, m'a coûté 39 cents le lundi et 2,50 $ le mercredi. *Un bond de plus de 500 %!*

Cette histoire suscite peut-être en vous, le consommateur, la réflexion suivante: «*Comment le commerçant A peut-il justifier un prix six fois supérieur à celui qu'exige le commerçant B, situé à deux pâtés de maisons de ma demeure?*» Et, comme propriétaire de commerce indépendant, vous vous posez peut-être la question: «*Comment les commerces fixent-ils leurs prix, et quelle est la corrélation entre les prix et les profits?*»

Le présent ouvrage propose non seulement des réponses à ces excellentes questions, mais offre un très grand nombre de perspectives puissantes sur le volet «affaires» d'une transaction vendeur-acheteur.

EXPERTS EN CONSOMMATION, AMATEURS EN AFFAIRES

À bien y penser, *les Nord-Américains sont des consommateurs experts*. (Rien d'étonnant, étant donné notre haute fréquence d'achats de produits et services, et le déluge d'annonces publicitaires qui déferlent sur nous.) *Par contre, très peu de Nord-Américains sont des propriétaires de commerce experts.* Pourquoi? Parce que nous avons appris très jeune à adopter la pensée «consommateur», et non celle d'un propriétaire de commerce.

Dès l'enfance, nous avons appris à remettre à la caissière de l'argent ou une carte de crédit en échange de produits et services. Cependant, bien peu parmi nous avons appris à apprécier et à comprendre la perspective «propriétaire de commerce» des affaires. Conséquemment, la plupart des gens ignorent comment les prix sont déterminés et les bénéfices engrangés. Comme consommateur, ces choses sont pour vous sans importance. Par contre, comme propriétaire de commerce, vous DEVEZ comprendre la relation entre la fixation des prix et les bénéfices, sinon votre commerce ne fera pas long feu!

Comparez le présent livre à un cours intensif pour propriétaire de commerce indépendant. En tenant votre main de consommateur, je vous guiderai de l'autre côté du comptoir, et vous enseignerai les principes d'affaires clés que tout propriétaire de commerce doit bien saisir pour exploiter un commerce rentable.

POURQUOI MOI? POURQUOI QUIXTAR?

J'estime mes qualifications plus qu'adéquates pour vous prodiguer mes conseils sur les affaires en général, et sur Quixtar en particulier, en vertu de mon expérience comme propriétaire de commerce, professeur, consultant, auteur et conférencier.

En premier lieu, les affaires sont un des amours de ma vie depuis longtemps. Puisque mes parents étaient propriétaires d'un petit commerce, j'ai grandi dans un foyer où les discussions portaient beaucoup plus sur des questions et des situations qui préoccupent un propriétaire de commerce qu'un employé. Les leçons apprises autour de la table ont certainement porté du fruit puisque, à 19 ans, j'étais propriétaire d'un hôtel et d'un restaurant.

Au cours des 25 dernières années, j'ai donné des cours sur les affaires et sur le marketing dans quatre universités différentes. Outre mes heures d'enseignement, j'offre mes services de consultant aux compagnies, écris, et prononce des conférences. Mes services d'expert-conseils auprès des entreprises servent surtout à les aider à faire plus d'argent, et mon guide des affaires, *10 Places Where Money is Hidden in Your Business – and How to Find It* (Dix endroits où votre commerce cache de l'argent, et où le trouver) en est à sa dixième édition. J'ai aussi prononcé des conférences devant des employés et dirigeants de dizaines de sociétés traditionnelles, dont Coca-Cola et Hyatt. De plus, depuis la publication de mon succès de librairie, *Place aux clientrepreneurs!*, j'ai eu le privilège de m'adresser à des dizaines de milliers de PCI Quixtar, dans des douzaines de villes, d'un bout à l'autre du pays.

En fonction de la diversité de mon expérience d'affaires échelonnée sur plus de 30 ans, et de mon interaction personnelle avec des PCI Quixtar depuis cinq ans, je crois être particulièrement apte à offrir certaines perspectives d'affaires pratiques, susceptibles d'aider les PCI à tirer le maximum du modèle d'affaires Quixtar, incroyablement dynamique bien que non traditionnel.

BONNE IDÉE, MAUVAISE SOLUTION

Mes nombreux entretiens avec des PCI m'ont appris que les nouveaux venus sont majoritairement d'anciens employés et, pour cette raison, ils ignorent ce qui est requis pour posséder et exploiter un commerce prospère. Par exemple, la question la plus fréquente que posent les nouveaux PCI et leurs associés potentiels est la suivante: «Pourquoi Quixtar ne se transforme-t-elle pas en un club d'achats à rabais puisque cela incitera tous les consommateurs à acheter ses produits?», et le commentaire le plus souvent entendu est: «Je ne veux pas faire de l'argent aux dépens de mes amis.»

Je suis estomaqué non par la fréquence de cette question ou de ce commentaire, mais par la profondeur de l'incompréhension qui mène un propriétaire de commerce à s'arrêter à de telles choses. Et voilà que, tout à coup, cette pensée m'a saisi : «Les PCI qui font de tels commentaires perçoivent le Commerce du *point de vue d'un consommateur et non de celui d'un propriétaire de commerce.*»

D'une part, puisque les rabais stimulent les consommateurs à l'achat, ces derniers évaluent leur performance ainsi : «*Comment puis-je acheter davantage avec moins ?*» D'autre part, les propriétaires de commerce, motivés par les profits, adoptent un point de vue totalement opposé : «*Quelles stratégies de marketing puis-je adopter pour vendre davantage à plus haut prix ?*»

Ainsi donc, lorsque j'entends certains PCI et associés potentiels parler de *réduction* de prix, je sais qu'ils continuent de penser comme un consommateur et non comme un propriétaire de commerce. Oui, tout intervenant du Commerce serait sûrement d'accord qu'une *hausse des bénéfices est une bonne idée.* Toutefois, à titre de conseiller auprès de dizaines de commerces, j'affirme sans détour qu'une *réduction des prix n'est pas le moyen d'y parvenir !*

L'AJOUT DE VALEUR EST PLUS SAGE QU'UNE RÉDUCTION DE PRIX

J'ai pour expertise d'aider les propriétaires d'hôtels et de restaurants à faire plus d'argent. En discutant d'affaires avec des proprios et des cadres, ils me posent des questions sur le monde des affaires, telles que : «Comment puis-je ajouter de la valeur et améliorer les services ?» ou «Comment puis-je attirer plus de clients ?» Toutefois, aucun de mes clients ne m'a jamais demandé de l'aider à «réduire ses prix», parce que les propriétaires de commerce prospères ont compris que l'ajout de valeur est plus sage que la réduction de prix.

À coup sûr, la réduction de prix est une des douzaines de stratégies de commercialisation disponibles aux propriétaires de commerce. Elle n'a pas son pareil pour quiconque désire dégager ses étagères pour les renflouer de nouvelle marchandise. Mais, la plupart du temps, les propriétaires de commerce désirent savoir comment *hausser les prix* et accroître leur achalandage afin de réaliser un plus fort profit.

Pour leur part, les consommateurs sont de plus en plus obsédés par l'achat au prix le plus bas. Ils s'enorgueillissent des «bonnes affaires» conclues avec tel ou tel commerçant, et réprimandent amis et connaissances lorsque ceux-ci payent un dollar ou deux de plus qu'eux ont payé pour une boîte de détergent format géant.

Mais en réalité, tout prix est relatif. Par exemple, le prix d'un litre d'essence à la marina est presque deux fois plus élevé que celui que je paie à la station-service, près de chez-moi. Alors, pourquoi ne pas acheter le carburant pour le bateau au poste d'essence et non à la marina ? C'est une question de simple bon sens, non ! Avez-vous déjà essayé de transporter dix réservoirs de près de 20 litres sur une distance de près de 200 mètres ? Si oui, vous conviendrez sûrement que faire le plein à la marina vaut bien quelques cents de plus le litre. Voilà qui prouve que les circonstances « intangibles » constituent une composante importante de toute stratégie ayant pour but de déterminer les prix.

LES MEILLEURS FRUITS EXIGENT PEUT-ÊTRE PLUS D'EFFORT

Parole d'avertissement : Pour vous assurer une pleine compréhension de l'impact de la fixation des prix sur votre commerce, j'ai cru nécessaire d'inclure des renseignements de base sur les différents modèles d'affaires. Comme vous le savez, le modèle d'affaires Quixtar est unique et, en le comparant à des modèles plus traditionnels, vous acquerrez une meilleure compréhension de la raison pour laquelle le Commerce est sans pareil lorsqu'on s'arrête à ses faibles coûts de démarrage et à son potentiel d'accumulation de gains.

De plus, parce que certaines parties du présent livre sont riches en concepts d'affaires, il vous sera peut-être nécessaire de les relire plusieurs fois pour bien en assimiler le contenu. Faites-moi confiance si je vous dis que le temps et l'effort additionnels consentis en valent vraiment le coût.

Donc, sans plus attendre, tournez la page et commencez à apprendre comment maximiser votre occasion d'affaires Quixtar, en pensant et en agissant comme un *propriétaire de commerce indépendant* et non comme *un consommateur dépendant !*

CHAPITRE 1

PRÉSENTEZ–VOUS À L'AVANT !

*Aujourd'hui, la carrière future de tout enfant
est de devenir un consommateur habile.*
— DAVID RIESMAN (1950)

E nfin ! Les vacances, et la pleine liberté d'action un jour de travail. Quelle denrée rare ! Vous vous versez une tasse de café, allumez le téléviseur, et vous installez dans votre fauteuil préféré pour feuilleter le journal du matin.

Soudain, vous êtes surpris par un délire d'applaudissements provenant du petit écran. Jetant un coup d'œil au-dessus de votre journal, vous observez une foule composée d'hommes et de femmes d'âge mûr survoltés qui vous font des signes de la main. Puis vous entendez, sans équivoque, la voix de baryton de l'annonceur :

« Melinda Johnson, PRÉSENTEZ-VOUS À L'AVANT ! »

La foule crie son approbation.

« Tom Madden, PRÉSENTEZ-VOUS À L'AVANT ! »

Le deuxième cri de l'assistance étouffe le premier.

« Brenda Cherry, PRÉSENTEZ-VOUS À L'AVANT ! »

La vague de cris s'intensifie, alors que les quatre premiers concurrents, choisis parmi l'assistance, sont invités à se « présenter à l'avant ». Vos yeux sont rivés à votre écran pendant qu'une caméra, perchée au-dessus de l'estrade, capte la course endiablée, jusqu'à l'avant de la salle, de deux femmes aux cheveux bleus et de deux hommes d'âge mûr bedonnants.

Bienvenue à un autre épisode de *The Price is Right* (Le prix est le bon), animé par la légende de la télévision, Bob Barker.

L'émission télévisée parfaite pour le consommateur

Envoûté, vous observez Bob Barker, l'animateur aux cheveux gris bien taillés, et bronzé à la Hollywood, qui plaisante avec les invités. En douceur, il dirige la conversation vers le premier défi de l'émission d'aujourd'hui : deviner le prix d'un ensemble de jouets pour enfants. Le concurrent qui suggère le chiffre le plus près du prix de détail de l'article, sans toutefois le dépasser, gagne l'épreuve.

Les gens s'évertuent à crier leurs suggestions aux concurrents nerveux.

« 631 $ », suggère le premier concurrent, en rigolant.

« 1 450 $ », dit en bégayant le deuxième participant.

« 1 100 $ », lance le troisième concurrent.

« 1 451 $ », laisse échapper le dernier.

« *Le prix de détail de l'article est... 2 470 $!* » Les mots glissent entre les dents d'un blanc étincelant de Barker. Alors que l'assistance hurle son approbation, la gagnante lève les bras vers le ciel et pousse des cris de joie, sur un fond de musique retentissante et quelque peu endiablée.

D'un même jet, l'annonceur chevronné, Rod Roddy, décrit les « prix incroyables », de pains de savon aux altères sans oublier les véhicules tout neufs, en ne manquant pas d'envelopper chaque capsule descriptive d'un manteau élogieux de 10 secondes. La foule répond par des oh ! et des ah ! pleins d'envie.

Cinq jours par semaine, *The Price is Right* offre une forte quantité de produits de toutes sortes à des gens de la classe moyenne, comme vous et moi (au fil des ans, 40 000 concurrents ont participé à ce jeu-questionnaire). Contrairement aux participants d'un autre jeu-questionnaire de longue durée, *Jeopardy*, les concurrents de *The Price is Right* n'ont pas besoin d'être particulièrement brillants ou de savoir bien lire. Il leur suffit de deviner le prix d'un produit, une habileté que toute personne parvient à maîtriser en arpentant les grands centres commerciaux, et en y faisant du lèche-vitrines pendant d'incalculables heures. Rien d'étonnant alors que l'émission *The Price is Right* soit le jeu-questionnaire télévisé de mi-journée le plus durable et le plus écouté.

DERRIÈRE L'ÉCRAN !

D'où cette émission tire-t-elle sa grande popularité ? Simplement du fait qu'elle constitue *un Valentin d'une heure pour le consommateur !* Chaque émission lui offre des douzaines de produits (un produit ne plaît pas, on lui en propose un autre 10 secondes plus tard). *The Price is Right* fait le bonheur de tout consommateur. L'action y est fébrile et les gens s'amusent. En fait, chaque seconde de l'émission est conçue pour émoustiller le consommateur qui habite en nous. Assurément, l'émission est la flèche de Cupidon de la consommation pointée en direction de notre cœur de consommateur avide, et Bob Barker est l'infaillible archer.

Mais que se passe-t-il en arrière-scène ? Qu'en est-il des responsables de l'émission ? Soyez honnête. Croyez-vous que *The Price is Right* aurait tenu l'antenne pendant 30 ans si les réalisateurs et cadres du réseau CBS avaient adopté la même attitude que les téléspectateurs ? Et si les vice-présidents de CBS s'adonnaient à d'amusants jeux «devine le prix» toute la journée, sautillaient et réagissaient à chaque blague de Bob Barker, ou encore visitaient chaque studio après chaque émission, coiffés de chapeaux loufoques ? À vrai dire, si les gens d'arrière-scène avaient agi comme les concurrents et les téléspectateurs, l'émission n'aurait pas tenu l'antenne plus de 30 minutes. Oublions les 30 ans ! Vous êtes d'accord ?

L'INDUSTRIE DU SPECTACLE : EN PARTIE SPECTACLE… TOTALEMENT AFFAIRES !

L'émission *The Price is Right* continue d'être le lapin Energizer de la programmation télévisée diurne pour une seule et unique raison : l'émission est bonne pour les affaires !

En un mot, *The Price is Right* rapporte «de gros sous» à CBS. *Des seaux et des seaux d'argent !*

Depuis plus de trois décennies, *The Price is Right* est chef de file des émissions télévisées diurnes de CBS «très rentables». Pourquoi s'étonnerait-on de la décision du réseau d'accorder à sa Scène 33 l'appellation «Studio Bob Barker» ? Après tout, ce nom lui aura permis d'empocher des *centaines de millions de dollars au fil des ans !*

Voilà pourquoi je soutiens que l'industrie du spectacle est en partie spectacle et totalement affaires. Alors que le volet *spectacle* de l'industrie consiste en l'art de savoir quels boutons pousser pour s'attirer la loyauté des téléspectateurs, le volet *affaires* est la science de bâtir un modèle d'affaires rentable et de le dupliquer encore et encore. Visiblement, le réseau CBS et les réalisateurs de l'émission *The Price is Right* sont passés maîtres à la fois de l'art et de la science !

COMPRENDRE « VOS AFFAIRES », FAITES-EN « VOTRE AFFAIRE » !

En d'autres termes, les propriétaires de commerce prospères pensent et agissent comme des propriétaires de commerce et non comme des consommateurs. Voilà pourquoi je dis que les propriétaires de commerce prospères font de la compréhension de leurs affaires «leur affaire». Bien sûr, une partie du processus exige une bonne connaissance du consommateur, *mais les propriétaires de commerce prospères s'appuient sur des stratégies d'affaires, et non sur des stratégies de consommateur, pour enregistrer des profits et assurer la croissance de leur commerce.*

Par contre, les concurrents de *The Price is Right* comptent sur des stratégies de consommateur pour deviner le prix des produits offerts au cours d'une émission. Ils mettent à profit leur expérience de consommateur pour y parvenir, ce qui explique les écarts entre les prix suggérés. Leur inconscience des coûts de fabrication et de commercialisation des produits les laisse ignorants quant à la façon d'établir les prix.

Cependant, je vous prie de croire que les propriétaires de commerce prospères n'affichent pas la même ignorance. En effet, ils ne décident pas d'un prix au hasard comme le font certains des concurrents de *The Price is Right*. Après avoir considéré une douzaine de variables, ils offrent aux consommateurs un prix raisonnable et équitable, un bon rapport qualité-prix, tout en s'assurant d'en tirer un certain profit.

Puisque de nombreux PCI sont des employés jouissant de peu d'expérience dans le domaine des affaires, ils tentent d'évaluer le Commerce en lui appliquant leur expérience de consommateur. Les consommateurs sont conditionnés à croire que «moins cher, c'est mieux». Sans surprise alors, plusieurs associés potentiels et nouveaux PCI tentent à tort d'appliquer la même philosophie aux produits Quixtar. Quelle erreur monumentale ! Pour réussir, les gens doivent troquer leur chapeau de consommateur contre celui du propriétaire de commerce. En vérité, si vous désirez ce que possèdent les gens d'affaires prospères – la liberté financière, un style de vie formidable, un fonds de réserve pour les études postsecondaires des enfants, et autres bonnes choses –, vous devez *faire* ce que font ces personnes : *ils font de la compréhension de leurs affaires «leur affaire»*, puis travaillent au succès de leur commerce jour après jour.

Que vous apprendra la poursuite de votre lecture

Dans les chapitres qui suivent, je vous enseignerai sur les affaires en adoptant la perspective du propriétaire de commerce. Vous apprendrez les principes d'exploitation généraux d'un commerce, et en particulier d'un commerce Quixtar. L'objectif visé est de vous permettre de tirer le maximum de votre occasion d'affaires. Voici quelques-uns des concepts d'affaires que vous apprendrez au fil de votre lecture :

- Comment les prix sont fixés.
- Pourquoi il est tout à fait acceptable pour différents commerces d'exiger des prix différents pour des produits identiques.

- Quels modèles d'affaires offre le marché et pourquoi l'emprunt à un modèle ou plus peut être dangereux.
- Quels sont les avantages du modèle Quixtar lorsqu'on le compare aux modèles d'affaires traditionnels.
- Quelle est la différence entre un rabais au consommateur et un rabais au commerçant.
- Quels produits Quixtar offrent les plus gros gains.
- Que signifie l'appellation «clientrepreneur plus».
- Comment vous pouvez *faire du bien* en vous *tirant bien d'affaires*.

Lorsque vous décidez de devenir un propriétaire de commerce indépendant Quixtar, vous choisissez de devenir le propriétaire de l'un des véhicules générateurs de richesse le plus puissant de l'histoire. Bien que ce véhicule soit rapide, durable et puissant, vous devez tout de même apprendre à le conduire et à en assurer l'entretien !

Ainsi donc, Mesdames et Messieurs, en avant tous sur la route du succès !

CHAPITRE 2

NE VOUS LAISSEZ PAS SURPRENDRE À FAIRE LA SIESTE SUR LE CANAPÉ DU CONSOMMATEUR !

La propriété, l'indépendance et l'accès à la richesse
ne doivent pas être réservés à quelques-uns ;
ils devraient plutôt alimenter l'espoir de tous.
— PAUL O'NEILL, SECRÉTAIRE AU TRÉSOR DES ÉTATS-UNIS

A u chapitre premier, je vous ai tiré dans les coulisses de l'émission *The Price is Right,* afin que vous en connaissiez et en appréciez le volet «affaires». Pourquoi ? Parce qu'en majorité, les gens n'ont jamais été exposés aux principes de fonctionnement des affaires.

Comme professeur en ce domaine, je peux vous affirmer que mes étudiants sont tous, au départ, ignorants des principes de base qui régissent l'exploitation d'un commerce... *et j'enseigne dans les facultés de commerce !* Ils ne savent rien de l'exploitation d'un commerce prospère. Toutefois, *comme consommateurs, ils sont tous majors de la promotion !*

Un gros merci à la culture de la consommation. Pour ce qui est de dépenser de l'argent, les Nord-Américains sont des experts. Par contre, ils font partie d'une culture bien différente, celle du «je-ne-sais-rien», lorsqu'il s'agit du langage et des principes des affaires. Ainsi donc, d'une part, les consommateurs dépensent en experts et, d'autre part, ils manifestent une ignorance presque totale le temps venu de faire de l'argent. Comment expliquer un tel dérapage ?

Jetez le blâme sur le canapé du consommateur.

«Quoi ? Je ne pige pas !» me direz-vous. Laissez-moi vous expliquer pourquoi nous devons résister à la tentation de faire la sieste sur le canapé du consommateur.

LE CANAPÉ DU CONSOMMATEUR

Votre salon compte sans doute, comme celui de la majorité des demeures, un canapé confortable placé devant le téléviseur. Les vôtres s'y assoient et y grignotent du maïs éclaté en écoutant leur émission favorite ou un bon film.

C'est le canapé du consommateur, et il est tellement confortable, invitant et… dangereux ! «Dangereux ? Mais pourquoi ?» me demandez-vous. Eh bien, le canapé est tellement confortable qu'il encourage les siestes et l'acceptation passive de tout ce que véhiculent les médias. Au chaud, sous une couverture de journaux et d'annonces publicitaires de revues, et ensorcelés par la lueur de feu dansante jaillissant de l'écran, nous nous laissons choir sur le canapé du consommateur, envoûtés par le chant d'une sirène qui nous berce jusqu'au sommeil, jour et nuit, mois après mois, année après année. Au fil du temps, le consommateur s'habitue tellement à entendre les messages véhiculés que certains baratins se transforment en faits irréfutables :

« Achetez à rabais et "économisez".»

« Les magasins de vente à gros rabais sont les meilleurs endroits pour "économiser".»

« Plus les prix sont bas, meilleur est le magasin.»

« Plus le magasin est vaste, meilleures sont les aubaines.»

Ainsi donc, la plupart des Nord-Américains, ayant bien appris leur leçon, vaquent à leur devoir tels de bons petits soldats des affaires. Ils sautent dans leur véhicule et se rendent à Ce-Mart ou Cet-Autre-Mart, convaincus qu'ils économisent 100 $ à l'achat d'un produit normalement vendu 200 $ et réduit de 50 % (en réalité, la seule façon d'épargner 100 $ est de déposer le montant dans un compte d'épargne) !

Mais que se passe-t-il vraiment chez les consommateurs qui tentent d'«économiser» en achetant à rabais ? Ils consomment jusqu'à la pauvreté ! Chaque année, le nombre de Nord-Américains qui font faillite dépasse le nombre de diplômés postsecondaires, la construction de centres commerciaux dépasse celle des écoles secondaires, et davantage de gens fréquentent les centres commerciaux que les églises.

Commencez-vous à saisir pourquoi je dis : « Ne vous laissez pas surprendre à faire la sieste sur le canapé du consommateur ?» Vous pourriez vous réveiller fauché, financièrement et spirituellement.

Les consommateurs télézards

Ne vous méprenez pas sur mes propos. Je ne qualifie nullement toute consommation de mauvaise. Au contraire, la consommation est nécessaire, puisque l'échange d'argent en retour de produits et services représente l'épine dorsale d'une saine économie. Aujourd'hui, toutefois, les consommateurs télézards sont trop nombreux, ces gens qui perçoivent le monde en adoptant un unique point de vue, celui du *consommateur.*

Les consommateurs télézards goûtent au confort de leur canapé sans jamais penser au commerce qui l'a fabriqué. Ces téléphages écoutent religieusement ce que véhicule leur petit écran, mais ne pensent jamais au commerçant qui leur a vendu le téléviseur. Ils s'amusent en écoutant leurs comédies de situation favorites, mais ne réfléchissent jamais au commerce responsable de la production et de la diffusion de ces émissions.

Voilà ce qui fait de millions de Nord-Américains des consommateurs experts. Ils connaissent la marque de douzaines de produits, ainsi que les slogans et les phrases accrocheuses des publicités télévisées, parce qu'ils habitent le continent où l'on trouve, et de loin, le plus de consommateurs «instruits» !

Par contre, en ce qui concerne la *connaissance des affaires*, l'affaire est tout autre ! Les interminables heures que le consommateur passe allongé sur le canapé l'ont conditionné à dépenser la richesse au lieu de la créer.

ALLEZ ! DEBOUT !

Lorsque vous vous êtes joint à Quixtar, vous avez pris la décision de vous lever de votre canapé de consommateur et de devenir un propriétaire de commerce indépendant. J'applaudis une telle ambition et un tel élan.

Toutefois, je dois vous prévenir que, si vous êtes comme la plupart des gens, vous avez passé des milliers d'heures sur le canapé du consommateur, et relativement peu comme propriétaire de commerce. Par conséquent, vous succomberez sans doute à la tentation d'appliquer à votre commerce votre vaste expérience de consommateur, et la façon de penser qui lui est associée. Le désastre ne tardera pas à se concrétiser.

La différence est énorme entre s'asseoir sur le canapé du consommateur pour écouter *The Price is Right*, et participer à une rencontre d'affaires en compagnie des propriétaires et réalisateurs de l'émission, là où sont prises les décisions sérieuses et où s'effectue le travail ardu qui en ont permis la présentation sur votre petit écran, cinq jours par semaine, pendant plus de 30 ans.

De même, grande est la différence entre *penser en consommateur* et acheter des produits en solde ou à fort rabais, et *penser en propriétaire de commerce indépendant* et offrir des produits de qualité pour un prix raisonnable et équitable.

D'une part, penser en consommateur, c'est dépenser la richesse, c'est penser produits bon marché et gros rabais, acheter plus à moindre coût, accumuler le passif, et faire ses courses en se rendant au magasin de quelqu'un d'autre.

D'autre part, penser en propriétaire de commerce, c'est créer de la richesse, penser prix raisonnables et valeur ajoutée, bâtir un plus gros commerce et édifier les gens, augmenter son actif, et faire ses courses en visitant son « propre » magasin.

En d'autres mots, la plupart du temps, les deux façons de penser sont totalement opposées l'une à l'autre, telles que le sont les deux faces de la pièce de monnaie « libre entreprise ». Cependant, cela n'est pas nécessairement une mauvaise chose.

Porter le chapeau du consommateur et obtenir davantage à moindre coût peut être bien, SAUF si vous tentez d'apposer la façon de penser consommateur sur la face « propriétaire de commerce » de votre pièce de monnaie. C'est alors que le véhicule qui mène à la liberté financière et à la libre gestion du temps devient de moins en moins utilisable.

Offrez-vous donc un cadeau. Quittez votre canapé de consommateur, prenez place dans votre bureau de propriétaire de commerce, échangez votre pensée de consommateur contre celle du propriétaire de commerce, et commencez à tirer le maximum de votre occasion d'affaires Quixtar !

CHAPITRE 3

COMPRENEZ VOTRE MODÈLE D'AFFAIRES ET FAITES-LUI HONNEUR

*Alors que les grands esprits échangent des idées,
les esprits moyens discutent des événements,
et les faibles des autres gens.*
— ADMIRAL RICKOVER DE LA MARINE AMÉRICAINE

Vous êtes-vous déjà demandé comment les compagnies légendaires ont débuté? Leur réussite a-t-elle eu pour assises des plans d'affaires détaillés ou des résultats favorables d'études de marché coûteuses? Ont-elles bénéficié de prêts de milliards de dollars? Aucune de ces réponses n'est la bonne.

Les grands noms des affaires doivent leur stature à une excellente idée et à un modèle d'affaires facile à comprendre et à exploiter. La fondation de la Southwest Airlines en est un vibrant exemple.

En 1971, l'homme d'affaires Rollin King invita son ami et avocat, Herb Kelleher, à dîner dans un restaurant local. Au cours de leur tête-à-tête, King traça un triangle sur une serviette de table et inscrivit à chaque pointe de son dessin le nom de trois des plus grandes villes du Texas.

Par la suite, il expliqua à son ami comment il planifiait relier les trois villes. Pour y parvenir, il désirait mettre sur pied une compagnie aérienne «sobre et sans dentelle» qui offrirait des vols à des tarifs abordables pour tous. Finalement, il proposa à Kelleher de devenir le premier président de la compagnie.

«*Rollin, tu es cinglé! lui cria l'avocat. Allons-y!*»

C'est là l'histoire de la fondation de la Southwest Airlines, la compagnie aérienne américaine la plus rentable au cours des 20 dernières années, compagnie porteuse du modèle d'affaires qui transforma entièrement son industrie.

TOUT COMMERCE S'APPUIE SUR UN MODÈLE

Tout commerce a pour fondement un modèle d'affaires particulier. Pour la Southwest Airlines, c'est celui des bas tarifs et du fort volume, l'inverse du modèle adopté par Air France et British

Airways pour le Concorde. Même industrie, modèles d'affaires totalement différents, mais *tous deux fonctionnent !*

En fait, il n'y a pas de bons ou de mauvais modèles d'affaires, mais des modèles qui fonctionnent et d'autres qui ne fonctionnent pas. Donc, la clé de la réussite d'un commerce est de trouver le modèle efficace et, par la suite, de l'exploiter encore et encore.

Mon arrière-plan de travail est l'industrie de l'hospitalité (appellation sophistiquée pour le domaine de l'hôtellerie et de la restauration), industrie qui propose une foule de modèles d'affaires, et chaque modèle affiche ses histoires de réussite. Il suffit de s'arrêter aux différents modèles qu'offre l'industrie hôtelière aux voyageurs de la grande région d'Orlando, en Floride, où j'habitais et enseignais jadis, avant de déménager dans la région de Miami Beach.

Tout d'abord, des centaines de modèles d'affaires sont des entreprises familiales, telles que des hôtels, des motels et des gîtes à propriétaire unique. On y retrouve aussi des douzaines de modèles des catégories franchise ou grande chaîne, des motels économiques aux hôtels super luxueux. De mémoire, voici quelques modèles d'affaires les plus populaires. Il y a le modèle d'hôtel :

- suites seulement, telles que Homestead Suites,
- de long séjour, tel que le Suburban Lodge,
- parc thématique, tel que l'Animal Kingdom Lodge de Disney World,
- de congrès, tel que le Peabody,
- affaires, telles que le Hilton,
- à prix moyen familial de long séjour, tel que le Holiday Inn,
- historique, tel que l'hôtel centenaire Park Avenue, à Winter Park,
- centre de villégiature – golf et tennis, tel que le Mission Inn au centre de la Floride, et
- de luxe, tel que le Ritz Carlton et le Four Seasons.

Je n'ai énuméré que neuf modèles d'affaires éprouvés *pour une seule industrie !* Bien qu'ils soient très différents les uns des autres, l'un n'est ni meilleur ni moins bon qu'un autre. Aux dernières nouvelles, les hôtels soi-disant «bas de gamme» réussissaient aussi bien que le Ritz Carlton, malgré le fait que bien malin celui qui identifierait des modèles d'affaires aussi foncièrement différents.

NE CONFONDEZ PAS LES MODÈLES

Quel consommateur s'arrête à l'analyse des différents modèles d'affaires? Aucun. Malgré tout, en réponse à nos désirs et besoins, nous visitons hebdomadairement des douzaines de modèles. En fait, le monde des affaires en propose tellement que le consommateur les tient pour acquis. Parcourez quelques kilomètres d'une quelconque rue achalandée d'une grande ville et vous y observerez des centaines de modèles d'affaires. En route vers la maison après le travail, vous identifierez assurément un ou plusieurs des modèles populaires suivants:

- services de nettoyage à sec
- entrepôt de vente à rabais
- clinique médicale
- lave-auto libre-service
- dépanneur
- fripperie
- restaurant familial
- parc de voitures d'occasion
- restaurant-minute avec service au volant
- pharmacie
- services de plomberie
- magasin de meubles sans intermédiaire
- quincaillerie
- service de vidange d'huile rapide

Nous, consommateurs, devons respecter le mode de service qu'impose chaque commerce. Par exemple, la personne qui se rend dans une clinique médicale anticipe une attente de 30 minutes avant d'être guidée vers une autre pièce, où elle attendra 15 minutes de plus avant de finalement rencontrer un professionnel de la santé. Par contre, lorsque le même consommateur choisit le service au volant d'un McDo, il ne prévoit pas faire la queue pendant 30 minutes, n'est-ce pas? C'est le service immédiat!

Comme consommateurs, nous savons discerner les modèles d'affaires. En effet, quel insensé se rendrait dans un Ritz Carlton et exigerait le même prix pour une chambre que celui payé dans un hôtel «bas de gamme». Je doute fort que vous teniez un jour un entretien tel celui qui suit avec le préposé à la réception d'un Ritz:

« Ai-je bien compris, 279 $ pour une nuit? Pardon! Ça ne va pas, non! L'hôtel bas de gamme à quelques quadrilatères d'ici offre des chambres à 39,95 $. J'exige le même prix! »

Jamais vous ne tiendrez un tel entretien parce que, comme consommateur, vous savez instinctivement qu'il est insensé de confondre les modèles d'affaires. En fait, s'y prêter peut donner lieu à des situations plutôt loufoques. Qui fréquenterait des commerces dont le nom suggère :

- sushi à rabais
- services dentaires au volant
- repas à louer
- médicaments sur ordonnance libre-service
- remodelage facial minute

Amusons-nous un peu à confondre les modèles d'affaires en associant un modèle populaire (colonne de gauche) à un produit ou service (colonne de droite). Laissez courir votre imagination…

• Neuf et d'occasion…	Eau
• À rabais…	Denrées
• D'une heure…	Services funéraires
• Libre-service…	Services religieux
• Location avec option d'achat…	Articles de plomberie
• Fabrication personnalisée…	Animaux favoris
• Produit-maison…	Services comptables
• En consignation…	Coupe de cheveux
• Service 24 heures…	Médicaments sur ordonnance
• Mobile…	Intervention chirurgicale

Je suis contraint d'admettre que deux associations me sautent aux yeux : « services comptables personnalisés » et « intervention chirurgicale à rabais ». (Bien que l'association « services comptables personnalisés » ne soit pas réellement « tirée par les cheveux », puisqu'il suffit de penser aux services rendus par Arthur Andersen à Enron et World Com. Mais, c'est là une autre histoire…) Par contre, pour l'« intervention chirurgicale à rabais », je crois qu'il est préférable d'éviter le sujet.

Pourquoi le modèle « prix très réduits » n'a rien en commun avec celui de Quixtar

J'espère que ce petit exercice vous a convaincu qu'il est insensé pour le consommateur de confondre les modèles d'affaires. Si j'avais besoin d'une intervention chirurgicale, qu'aurais-je à faire d'une intervention à rabais ? Aucun intérêt ! La combinaison chirurgie et rabais est plus que sotte, elle est ridicule. Il en est de même de la combinaison magasins à prix très réduits et Quixtar.

Lorsque les associés potentiels et les nouveaux PCI s'expriment ainsi : « *Pourquoi Quixtar ne réduit-elle pas ses prix, ce qui en ferait, en quelque sorte, un club d'achats de produits à prix très réduits ? Tous voudraient s'y joindre !* » En réalité, ces personnes confondent deux modèles d'affaires différents. L'observation de la part de ces gens, sûrement bien intentionnés, du succès monstre de Wal-Mart, et de son fort achalandage, les poussent à tirer une conclusion illogique : « Puisque Wal-Mart est le plus grand magasin de vente au détail au monde, un endroit où l'on trouve les prix les plus bas, réduisez vos prix plus bas que ceux de Wal-Mart et tout le monde choisira de faire ses achats chez Quixtar. »

Cela semble bien logique, n'est-ce pas ? Mais, il existe un problème : les gens qui font de telles remarques pensent comme des consommateurs et non comme des gens d'affaires. C'est ce genre de raisonnement qui attend ceux qui confondent deux modèles d'affaires.

Il y a bien des années, le fondateur de Wal-Mart, Sam Walton, choisit d'emprunter une approche différente pour la vente au détail. Au lieu de vendre *quelques produits à haut prix dans un ou deux magasins locaux,* comme le faisaient la plupart des propriétaires de magasins de vente au détail de son époque, Walton décida de vendre *beaucoup de produits à prix réduit dans des centaines de magasins, situés dans une foule de petites villes d'un bout à l'autre de l'Amérique.* Pour y parvenir, il devait laisser tomber l'environnement luxueux et le service à la faveur des bas prix. Sam Walton a consciemment choisi le modèle « à prix très réduits » pour sa chaîne de magasins de vente au détail. Ce fut un choix fort judicieux pour Wal-Mart, et plus que rentable pour la famille Walton, aujourd'hui incroyablement riche, grâce à la vision de Sam.

LE MODÈLE WAL-MART EST EFFICACE, MAIS IL NE FAIT PAS CAVALIER SEUL !

Walton a exploité avec tellement de succès le modèle d'affaires « prix très réduits » que Wal-Mart a réussi, en moins de 40 ans, à devenir le plus gros magasin de vente au détail au monde. Aujourd'hui, Wal-Mart est sans contredit le roi des prix très réduits !

Aucun consommateur ne se rendrait dans un Wal-Mart pour y acheter un complet Armani ou une montre Rolex, ni non plus espérer y recevoir quelques conseils d'expert d'un des commis, vous êtes d'accord avec moi ? Personne ne se rendrait dans un Wal-Mart pour en admirer l'architecture ou la décoration intérieure. Pourquoi ? Parce que le consommateur sait que Wal-Mart a pour devise « les prix les plus bas à tous les jours ». Aucun luxe, service ordinaire, absence d'ambiance élégante, et uniquement des « bas prix à tous les jours ». Rien de plus, rien de moins.

Le modèle d'affaires « prix très réduits » fonctionne aussi très bien pour Motel Six, dans la région de la Floride, et le modèle « de luxe » en fait autant pour un Ritz Carlton. La clé de l'exploitation d'un commerce prospère est de choisir le modèle d'affaires le plus efficace pour le type de commerce visé. APPRENEZ pourquoi et comment le modèle fonctionne et, par la suite, FAITES-LUI HONNEUR en l'exploitant sans relâche.

Mon point est le suivant : Le modèle d'affaires Wal-Mart a merveilleusement bien réussi pour les Walton. Wal-Mart incarne *un* modèle d'affaires à succès mais, parmi tous les modèles efficaces, le modèle « prix très réduits » ne fait pas cavalier seul. En fait, il n'est qu'*un parmi des centaines de modèles, sinon des milliers, qui fonctionnent !*

CHAPITRE 4

COMMENT DÉTERMINE-T-ON LES PRIX?

Tout marché compte deux sots : le premier pose
trop de questions et le deuxième pas assez.
— PROVERBE RUSSE

U n de mes amis est propriétaire d'une imprimerie et, au fil
des ans, il a compris que ses clients exigent trois choses : le
prix le plus bas, la qualité maximale et un service rapide. Il
a aussi constaté qu'il lui était impossible à la fois de répondre à ces
trois exigences et d'exploiter un commerce rentable.

Il a donc affiché l'écriteau suivant à l'entrée de son commerce :

Notre compagnie garantit…
• Les prix les plus bas
• Un service rapide
• Une qualité maximale
Vous avez le choix de deux sur trois !

Propriétaire de commerce, l'imprimeur comprit que le client
ne peut tout avoir, *il doit être prêt à céder !*

Si le client désire bas prix et qualité, il doit *céder* le service
rapide.

Si le client désire bas prix et service rapide, il doit *céder* la
qualité.

Et si le client désire service rapide et qualité, il doit *céder* les
bas prix.

LA DÉFINITION DU MOT « PRIX »

De toute évidence, le prix est une des choses que l'on doit *céder*
à l'achat de produits et services, mais certainement pas l'unique chose. Dans l'exemple de l'imprimeur, le client peut être appelé à céder
sur la qualité, le temps ou le prix à payer pour obtenir ce qu'il désire,
mais le fait qu'il doive céder quelque chose est indéniable. La même
décision vous attend quel que soit l'endroit où vous faites vos courses.

Pour la majorité des consommateurs, le prix est la somme qu'ils doivent payer à l'achat d'un produit ou service. Mais cette définition très restreinte est celle de celui qui pense comme un consommateur. Par contre, pour l'imprimeur, la définition du prix est beaucoup plus large : *Le prix est ce que vous devez céder pour obtenir ce que vous désirez.*

Un produit acheté dans un Wal-Mart, par exemple, pourrait vous coûter moins cher que dans un autre magasin de vente au détail, mais vous pourriez être contraint de céder en retour *votre temps* (le déplacement en automobile, le stationnement, et les pas jusqu'à l'entrée en contournant l'immense édifice), *la commodité* (ne serait-il pas plus commode de commander par téléphone ou en ligne ?), et surtout *une occasion* (le temps requis pour vous déplacer aller-retour au Wal-Mart et pour terminer vos emplettes pourrait être utilisé pour faire de l'argent, au lieu de le dépenser).

Par contre, dans un dépanneur, vous pouvez être appelé à céder plus d'argent, mais vous obtenez en échange certaines valeurs intangibles. C'est la raison pour laquelle les prix y sont plus élevés que dans un magasin de vente à rabais.

LE PROBLÈME QUE POSE LA COMPARAISON DES PRIX

Vous n'êtes pas près d'être témoin de la scène suivante :

Une personne, armée d'une circulaire de Wal-Mart, entre dans un dépanneur et s'affaire aussitôt à comparer le prix de sept produits vendus dans les deux commerces. La liste dressée ressemble à celle qui suit :

Produit	Prix au dépanneur	Prix au Wal-Mart
• WD 40	3,29 $	1,77 $
• STP pour essence	1,69 $	0,94 $
• Nourriture pour chiens Purina	4,39 $	3,38 $
• Eau de source	1,49 $	0,79 $
• Café Maxwell House	3,89 $	2,19 $
• Pepsi – 12 cannettes	3,29 $ (à rabais)	2,50 $
• Excedrin Extra (24 comprimés)	5,49 $	2,96 $

Une fois la comparaison terminée, la personne fait appeler le propriétaire et lui dit :

« Vous savez, je cultivais un vif intérêt pour l'achat d'une franchise… Une telle occasion d'affaires m'enthousiasmait au plus haut

point. J'ai donc décidé de comparer vos prix à ceux de Wal-Mart. Jetez un coup d'œil à ma liste et vous constaterez l'écart important entre les prix qu'exige ce commerce et les vôtres. Dites-moi pourquoi les gens choisiraient d'acheter ici plutôt que chez Wal-Mart ? Si les dépanneurs comme le vôtre acceptaient de réduire leurs prix plus bas que ceux de Wal-Mart, je me porterais acquéreur d'une franchise, puisque tous les consommateurs préféreraient acheter dans mon commerce. »

La première chose que répondrait un franchisé de dépanneur à cette personne est : « *De quelle planète provenez-vous ? »* Mais bon, puisque le propriétaire est un gentilhomme, il lui répondrait plutôt :

« *En premier lieu, les consommateurs qui achètent dans les dépanneurs n'y recherchent pas les prix les plus bas, mais ils s'y rendent parce que cela est pratique et leur permet de gagner du temps. Lorsque la circulation routière est modérée, se rendre au Wal-Mart le plus près exige au moins 20 minutes, alors qu'aux heures de pointe, le temps requis augmente d'au moins 40 minutes. Les clients ne s'objectent pas à payer 50 %, voire 100 % plus cher qu'ils paieraient dans un Wal-Mart pour les mêmes produits, parce qu'ils savent que « leur temps » est intégré au prix indiqué.*

« *En fait, je dis à mes clients qu'ils économisent de l'argent à faire leurs achats dans les dépanneurs, parce que les clients de ce genre de commerce sont pressés par le temps. Aussitôt entrés, ils saisissent à la volée un ou deux articles, et aussitôt sortis. Une vente typique atteint moins de 10 $. À quand remonte votre dernier achat de moins de 10 $ dans un Wal-Mart ? Bien qu'il se soit rendu dans un Wal-Mart pour y acheter un oreiller, le client en sort avec un oreiller... une douillette, deux ensembles de drap et un couvre-matelas, un marteau de charpentier et deux vidéocassettes qu'il n'écoutera jamais.*

« *Vous aurez compris que je ne suis nullement intéressé à réduire mes prix parce que je n'y suis pas contraint. En fait, j'aimerais bien que le siège-social hausse le prix de certains produits. Cela me permettrait de faire plus d'argent ! »*

POURQUOI LE PRIX EST « LE BON »
DANS CHACUN DES DEUX MAGASINS

Les prix et les modèles d'affaires sont étroitement associés les uns aux autres. Voilà pourquoi *le prix Wal-Mart* pour du WD 40 (1,77 $) *est « le bon »*, tout *comme le prix exigé par le dépanneur*

(3,29 $) pour le même produit. Bien sûr les prix diffèrent, mais tous deux sont «le bon»! Exiger un prix plus élevé n'altère nullement cette vérité. Il s'agit tout simplement de modèles d'affaires différents.

Alors, puisque ce principe est crucial pour bien comprendre et faire honneur au modèle Quixtar, laissez-moi répéter cet axiome d'affaires : *Un produit acheté à un prix inférieur dans le magasin A ne signifie pas forcément que ce prix est le bon, ni le prix plus élevé pour le même produit acheté dans le magasin B. Selon le modèle d'affaires, chacun des deux prix peut être «le bon».*

Un autre exemple ? Comparons les prix exigés dans un Wal-Mart avec ceux d'un autre grand magasin à prix réduits. Les prix du second seront plus élevés neuf fois sur dix ; c'est un fait.

Mais je préfère tout de même acheter dans cet «autre» magasin parce qu'il est plus propre, ses allées sont plus spacieuses, il offre une plus grande variété de produits et des étalages plus attrayants, sans compter qu'on y trouve plus de commis et un service plus rapide à la caisse. Je suis ravi de payer entre 10 % et 20 % de plus pour mes produits parce que, selon moi, l'expérience y est 100 fois plus agréable !

LES DEUX VOLETS DE LA FIXATION DES PRIX

Selon que vous vous tenez d'un côté ou de l'autre du comptoir, le mot «prix» porte deux descriptions différentes. Alors que pour le consommateur le mot signifie *une sortie d'argent* pour l'achat de produits ou de services, pour le propriétaire de commerce, il représente *le revenu généré* par la vente de ces produits et services.

Voici le défi que pose toute transaction entre le consommateur et le propriétaire de commerce : alors que le premier désire acheter au plus bas prix possible, le deuxième désire vendre ses produits et services au prix le plus élevé possible. Même les magasins de vente au détail à prix très réduits, tels que Wal-Mart, désirent vendre leurs produits le plus cher possible, tout en damant le pion à leurs compétiteurs. Si tous ces magasins, sauf Wal-Mart, fermaient soudainement leurs portes, qu'adviendrait-il des prix ? Ils subiraient tous une hausse, n'est-ce pas ? Rien de mal à cela ; ce sont les affaires !

Lorsque j'étais propriétaire d'un hôtel et d'un restaurant, par exemple, je tentais toujours d'obtenir le maximum pour mes produits. Je fixais le prix de mes chambres et de mes repas le plus haut possible et, par la suite, j'y ajoutais le maximum de valeur pour justifier mes décisions.

LA FOSSE SANS FOND

Les gens qui croient qu'acheter dans les magasins à prix très réduits signifie « acheter intelligemment » n'ont rien compris au « grand portrait ». Conditionnés à la pensée consommateur, la plupart d'entre eux considèrent que « moins cher c'est mieux ». C'est pourquoi Wal-Mart est le plus grand commerce de vente au détail au monde, avec ses 3 000 magasins répartis dans 10 pays, et ses 200 milliards de dollars de revenus, un chiffre d'affaires qui ne cesse d'augmenter !

Mieux que quiconque, Wal-Mart maîtrise l'exploitation du modèle d'affaires « prix très réduits ». En fait, l'objectif avoué de Wal-Mart est de devenir un supermarché du rabais à guichet unique. Et voilà que la chaîne de magasins a décidé d'ajouter progressivement des denrées à sa gamme de produits. Pourquoi ? Parce que les études de marché ont démontré aux dirigeants que le client qui visite leur commerce, pour y acheter des légumes et de la viande, est fortement enclin à s'intéresser à une foule de produits, autre que la nourriture, des produits tels que des appareils électroniques, sources de plus gros profits pour le propriétaire de commerce. Certains Wal-Mart expérimentent même la vente de voitures d'occasion !

Le film *Money Pit* (Fosse sans fond, traduction libre), vous connaissez ? Il raconte l'histoire d'un jeune couple qui achète une maison, vieille mais charmante, convaincu qu'il est possible de la réparer et de la rénover avec quelques centaines de dollars de peinture. Mais, après avoir emménagé, le couple constate que les dépenses majeures se succèdent. Le film se termine, et les propriétaires ont dépensé 100 fois plus qu'il avait prévu au départ.

Il en est de même des achats dans les magasins à rabais. Wal-Mart attire les gens dans ses magasins avec les produits d'attraction et les bas prix, des appâts pour les inciter à acheter plus de produits à plus fort profit pour le commerçant. Sans la moindre méfiance, le consommateur y entre avec l'intention d'économiser à l'achat de quatre litres de lait et d'une douzaine d'œufs et, deux heures plus tard, il en sort avec de nouvelles lunettes et un véhicule d'occasion Wal-Mart. Arrivé à la maison, il déballe d'autres articles nouvellement achetés : un lecteur DVD, une planche à repasser et une canne à pêche, puis soudainement il constate qu'il a oublié d'acheter le lait et les œufs ! Quels magasins de vente au détail n'utilisent pas cette tactique pour drainer les consommateurs de leur argent si chèrement gagné ? Ils l'adoptent tous. C'est là leur modèle d'affaires.

LE TEST DE L'INVENTAIRE POUR VENTE-DÉBARRAS

Force est d'admettre que les consommateurs achètent toujours plus qu'ils avaient prévu. Vu qu'une épicerie offre en moyenne 40 000 produits, la tentation d'acheter se cache dans chaque allée. Soyez honnête. Avez-vous déjà quitté un Wal-Mart ou un Home Dépôt avec des articles que ne comptait pas votre liste d'achats ?

Hé ! les propriétaires de commerce à haut volume de ventes connaissent le comportement impulsif des consommateurs. Ils se maintiennent en affaires en leur vendant des articles auxquels il est impossible de résister, des articles qu'ils utiliseront rarement, et, bien plus, dont ils n'ont nulllement besoin.

Ce point acquis, et avant que vous vous félicitiez de votre discipline d'acheteur immunisé contre l'achat impulsif, accordez-vous quelques minutes pour vous soumettre au test de l'inventaire pour vente-débarras.

Ouvrez la porte de tous les placards et armoires de votre de-meure et inscrivez sur un bout de papier tout vêtement non porté ou article non utilisé au cours des 12 derniers mois. Faites ainsi avec la garde-robe de vos enfants, le garde-manger, sans oublier la salle de bain et le garage. Ensuite, déterminez le prix original estimatif de chaque article, inscrivez-le, et faites le total. (Oh ! c'est plus élevé que vous le pensiez, n'est-ce pas ?)

Posez-vous donc la question : « Si je faisais une vente-débarras demain, lesquels de ces articles offrirais-je et à quel prix ? » En-cerclez le nom de chaque article, accompagné du prix fixé, faites le total, puis comparez-le au total précédent. Déprimant, n'est-ce pas ?

Récemment, ma femme, Jeanne, s'est pliée à cet exercice. Sa liste comptait 47 articles, et elle s'était limitée à l'inventaire du garage ! Bien sûr, une pompe de pneu à bicyclette est utile, mais qu'avons-nous à faire de quatre ? Des décorations de Noël, c'est bien, mais nous n'avons pas besoin d'un Père Noël d'un mètre qui roule les hanches et chante ! Un achat impulsif ? J'en ai nettement l'impression parce que jamais je n'ai inscrit un tel article sur ma liste d'achats !

Notre vie est encombrée de choses que nous avons achetées impulsivement. Faites-en la somme, et vous constaterez que l'achat de tous ces produits « indispensables » vous aura coûté des cen-taines sinon des milliers de dollars ! Quelle en est la valeur lors d'une vente-débarras (en assumant qu'ils trouvent preneur) ? Quel-ques dizaines de dollars au total, si la chance vous sourit.

Lorsque vous réfléchissez à tout l'argent que vous avez gas-pillé au fil des ans à effectuer des achats impulsifs, vous ne pouvez que sourire. C'est assurément ce que fait le magasin de vente à rabais qui vous les a vendus... jusqu'à la porte d'entrée de la banque !

Le modèle d'affaires Quixtar, par ailleurs, n'est pas conçu pour inciter les gens à se rendre dans un magasin de produits d'attraction afin de leur vendre des biens qu'ils n'avaient pas prévu acheter, et qui leur sont sans doute totalement inutiles. Contrairement aux magasins à prix réduits, le modèle Quixtar est conçu pour vendre des produits qui fonctionnent vraiment, dont les gens ont réellement besoin, à des prix équitables et raisonnables. Voilà un modèle d'affaires qui vaut la peine d'être exploité.

VOUS NE POUVEZ PLAIRE À TOUS

Ne me prêtez pas l'image d'un dénigreur de Wal-Mart. Meilleure à son jeu, cette compagnie a su perfectionner le modèle d'affaires à prix très réduits, et tout commerce qui tente de lui faire concurrence en fonction des « bas prix de tous les jours » n'a qu'à bien se tenir. Il suffit de penser à Kmart, la compagnie qui s'est récemment placée sous la loi de la faillite.

Il est ridicule de se disputer la faveur du consommateur avec Wal-mart en adoptant son modèle d'affaires, la vente à prix très réduits. Toutefois, et c'est là la bonne nouvelle, vous n'avez aucunement besoin de vous y prêter. La clé est de faire ce que font les dépanneurs : adopter un modèle d'affaires qui offre des valeurs intangibles, des valeurs que Wal-Mart ne pourra jamais offrir. Ces valeurs incluent un excellent service, la commodité, une occasion d'affaires ou, mieux encore, tous les trois.

Vous connaissez l'expression « Vous ne pouvez plaire à tous », un axiome qui s'applique particulièrement aux modèles d'affaires ? Wal-Mart l'a compris, et elle se fiche éperdument que les clients de Saks Fifth Avenue ne visitent jamais, même morts, un de ses magasins.

Comme les cadres de Wal-Mart ne s'évertuent pas à discuter de moyens de faire concurrence à Tiffany's et autres modèles d'affaires « haut de gamme », les grands patrons de la compagnie ne perdent pas leur temps à imaginer des moyens de faire de leurs clients des propriétaires de commerce indépendants. Pourquoi ? Parce que la direction de Wal-Mart a suffisamment à se soucier de son propre modèle d'affaires sans s'arrêter à celui de Quixtar ni aux centaines d'autres qu'offre la libre entreprise. Au lieu de s'en préoccuper, Wal-Mart s'en tient à ses affaires et poursuit l'exploitation de son modèle jour après jour.

De la même façon, les PCI Quixtar ne devraient pas se préoccuper des prix de Wal-Mart. Comparer les prix Quixtar à ceux de Wal-Mart est similaire à comparer les prix Wal-Mart à ceux d'un autre grand magasin à rabais ; c'est comme comparer des pommes et des oranges. Vous désirez quand même vous prêter à la comparaison ? Tenez compte des valeurs intangibles de votre modèle d'affaires, et vous constaterez que le modèle Quixtar en offre beaucoup plus.

COMMENT UN COMMERCE FIXE SES PRIX

Avez-vous observé comment les prix des produits et services sont de tout ordre ? Pourquoi une nouvelle Camry coûte-t-elle 20 000 $ et une Lexus 60 000 $? Pourquoi un tel avocat exige un taux horaire de 150 $ et un autre de 500 $? Pourquoi une coupe de cheveux vous coûte 5 $ dans un commerce et 25 $ dans un autre ?

De prime abord, il semble que certains commerces fixent leurs prix au hasard. Bien qu'il soit vrai qu'il n'existe aucune formule éprouvée et infaillible pour déterminer les prix, le processus s'appuie tout de même sur plusieurs paradigmes. Voici d'ailleurs une liste des principaux modèles utilisés pour fixer les prix :

1. *L'offre et la demande* (forte demande et stock faible = prix élevés).

2. *La concurrence* (la raison pour laquelle les gouvernements retiennent les moins-disants).

3. *Ce que peut supporter le marché* (bien que le marché soit d'humeur changeante, le consommateur ne tardera pas à s'exprimer s'il juge vos prix totalement démesurés).

4. *Les produits d'attraction* (augmenter l'achalandage en offrant un article fort populaire à un prix inférieur au prix coûtant, et vendre un FORT VOLUME d'autres articles).

5. *Le prix coûtant et plus* (calculer le coût d'un produit et lui ajouter une marge de profit).

6. *La valeur ajoutée* (ajouter des « intangibles » pour justifier des prix plus élevés).

7. *L'emballage* (emballer un cédérom dans une boîte de 30 cm², décorée à l'extrême).

8. *L'enliassement* (offrir le rasoir gratuit et ajouter une prime au prix des lames).

9.　*Les prix discomptés* (compenser les bas prix par un fort volume de ventes).

10.　*Les prix de seuil* (identifier le prix le plus élevé d'une catégorie, et fixer le sien parmi les plus élevés).

Commencez-vous à saisir pourquoi un prix est beaucoup plus que des dollars et des cents, et pourquoi les prix et les modèles d'affaires sont étroitement liés les uns aux autres ? En lisant le prochain chapitre, souvenez-vous de la définition suivante : *Le prix est ce que vous devez céder pour obtenir ce que vous désirez.* (Ce qui signifie que *moins* vous cédez d'argent, *plus* vous devez céder des « intangibles ».)

Le chapitre cinq vous mènera un pas plus loin et vous enseignera comment sont fixés les prix Quixtar et, plus important encore, comment ces prix comprennent ces « intangibles » qui font des produits Quixtar les meilleures valeurs que le monde puisse offrir !

CHAPITRE 5

COMMENT SONT DÉTERMINÉS LES PRIX QUIXTAR

Dans une économie de marché, on compte sur le prix
pour s'assurer la richesse à laquelle on aspire.
— JOHN KENNETH GALBRAIGHT, ÉCONOMISTE

J e vous propose une vieille blague qui illustre à quel point les prix peuvent être arbitraires.

Un gorille se présente dans un bar laitier, s'assoie au comptoir, et commande une banane royale. Le propriétaire, offusqué de sa présence, réfléchit tout de même que c'est là une occasion rare de faire une «excellente affaire».

Alors qu'il tranche le fruit, il pense au prix qu'il peut exiger pour la banane royale. *« Les gorilles ne sont pas très intelligents*, réfléchit-il. *Les responsables du zoo lui ont probablement accordé une journée de congé, rare occasion pour ce néophyte de s'aventurer à l'extérieur du parc. Je parie que je peux majorer par 10 le prix de ma banane royale sans que ce gorille s'en rende compte. »*

Le proprio place la banane royale devant le gorille, recule de quelques pas, et observe son «client» dévorer son dessert. Puis, le sourire aux lèvres, il rédige l'addition.

«Aussi facile que tirer un bonbon des mains d'un enfant », pense le proprio, en glissant l'addition sous les yeux du gorille. Après en avoir pris connaissance, le «client» fronce les sourcils, tire deux coupures de 20 $ de sa poche, et les remet au propriétaire.

Le commerçant, en s'empressant d'arracher les 40 $ des mains du gorille, tente d'engager la conversation avec lui.

« Je dois avouer que votre présence dans mon commerce m'a quelque peu surpris. Nous comptons peu de gorilles parmi notre clientèle. »

« Cela ne m'étonne nullement, réplique le gorille. *Quarante dollars, c'est beaucoup d'argent pour une banane royale. »*

Quel lien cette histoire farfelue a-t-elle avec les prix Quixtar? En premier lieu, elle souligne que les prix sont relatifs, puisque les propriétaires de commerce fixent leurs prix en réponse à ce que le marché est prêt à payer. Ne méprenez pas mes propos. Je ne soutiens nullement qu'il est acceptable d'agir comme le proprio de ce bar laitier et de profiter de la naïveté des gens (ou des gorilles). Celui qui gonfle ses prix manque non seulement d'éthique, mais il enfreint la loi. De toute évidence, ce n'est pas la meilleure façon de déterminer les prix.

Comme professeur dans le domaine des affaires, je soutiens que les prix sont relatifs et non absolus. Le prix d'un produit, une banane royale par exemple, peut varier considérablement d'un commerce à un autre, une pratique parfaitement légale et légitime. Exiger un prix différent pour le même produit est non seulement correct, mais la fixation relative des prix est la règle du marché plus que l'exception. Nous avons abordé ce phénomène dans un chapitre précédent, alors que nous avons comparé les prix exigés, d'une part, par un supermarché et, d'autre part, par un dépanneur.

ÉCONOMIE 101, COURS INTENSIF

Le moment est venu d'étudier plus en détail la réalité économique qui détermine les prix et, pour commencer notre étude, analysons la fixation du prix d'une banane royale.

Aux dernières nouvelles, une banane royale coûtait environ 4 $ (taxes incluses) dans un Dairy Queen. Le même produit acheté dans un bar laitier à Disney World vous coûterait au moins le double, 8 $ ou plus, alors que vous paieriez, comme le gorille, 40 $ pour la même banane royale livrée à votre chambre, dans un Ritz Carlton de Tokyo !

Comment un commerce peut-il exiger 40 $, même 8 $, pour un produit qui contient peut-être 50 cents d'ingrédients, et qui se vend moins de 4 $ dans un Dairy Queen ? Allons-y pour une courte leçon d'Économie 101.

Considérons d'abord comment un commerce génère des profits. Le mot *profit* fait référence au montant du revenu brut (l'entrée d'argent) duquel on a soustrait les coûts d'exploitation (la sortie d'argent) ; tout commerce en encourt deux types : les coûts **variables** et les coûts **fixes**.

*Les **coûts variables** sont des dépenses associées à la fabrication et à la commercialisation d'un produit.* Ces coûts *varient* puisque plus une compagnie vend, plus elle doit fabriquer ou acheter des produits.

*Les **coûts fixes** sont des dépenses associées aux frais généraux.* Ces coûts, tels que le loyer mensuel, restent plutôt stables, indépendamment de la fluctuation du chiffre d'affaires.

L'équation du profit pour le bar laitier de notre petite histoire ressemblerait à ce qui suit:

Profit = revenu brut – (coûts variables + coûts fixes)
Voici la liste des coûts variables et fixes de base d'un bar laitier:

<u>Coûts variables</u>	<u>Coûts fixes</u>
Crème glacée	Loyer
Cornets, bols et ustensiles	Électricité et eau
Soda	Appareils ménagers et mobilier
Garnitures	
Publicité	
Main-d'œuvre	

Pour faire un profit, le propriétaire du bar laitier doit d'abord payer tous ses *coûts variables* (les coûts associés à la fabrication et à la commercialisation des bananes royales). La somme qui reste est appelée « la marge contributive » parce qu'elle contribue au paiement des *coûts fixes*. Soustrayez-en les coûts fixes, et vous obtenez le bénéfice net du propriétaire.

J'explique ce concept à mes étudiants en les enjoignant de comparer les coûts fixes à un trou pratiqué dans le sol. Chaque jour, le propriétaire de commerce doit remplir le trou avant d'espérer faire un profit.

Imaginez, par exemple, une compagnie qui achète des gadgets 4 $ pièce (un coût variable) et les revend 10 $ chacun (prix de vente). La marge contributive est donc de 6 $. Admettons que les coûts fixes quotidiens de la compagnie s'élèvent à 600 $. Chaque fois qu'un gadget est vendu, la compagnie dépose 6 $ dans le trou appelé « coûts fixes ». Elle doit donc déposer 6 $ dans le trou 100 fois par jour pour atteindre le seuil de rentabilité. Les profits de ce propriétaire de commerce augmenteront donc de 6 $ chaque fois qu'un gadget sera vendu, au-delà des 100 premiers articles. Le jour ouvrable suivant, le cycle reprend du début.

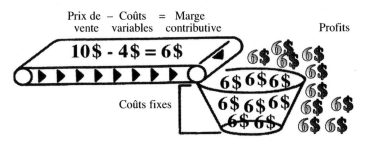

Prix de – Coûts = Marge
vente   variables contributive   Profits

10 $ - 4 $ = 6 $

Coûts fixes

Passons en revue ces termes clés, parce que comprendre la relation entre les coûts et les profits est essentiel à l'exploitation réussie de tout commerce. *Pour réaliser des profits, les propriétaires de commerce doivent d'abord soustraire les coûts variables de leur revenu brut, et utilisez la différence (la marge contributive) pour régler les frais fixes. L'argent qui reste, après ces calculs, est le bénéfice net.*

Pour bien saisir pourquoi le prix d'une banane royale dans un Dairy Queen (4 $) est « le bon », comme l'est le prix exigé à Disney World (8 $), vous devez d'abord comprendre ce que sont les coûts variables, les coûts fixes et la marge contributive. Le tableau ci-après explique pourquoi les deux prix pour le même produit, la banane royale, sont tous deux « le bon ».

Coûts variables pour une banane royale	Coûts fixes du Dairy Queen	Coûts fixes de Disney World
Presque identiques pour les deux commerces	Plusieurs *milliers* par mois	*Des dizaines de milliers par mois*

Vous vous souvenez de ce qui doit se produire pour faire un profit ? *Le propriétaire de commerce doit soustraire les coûts variables, et la somme qui reste (la marge contributive) sert à payer les coûts fixes. L'argent qui reste en bout de ligne, c'est le profit, vous êtes d'accord ?* Eh bien, pour chacun des deux commerces, les coûts variables sont presque les mêmes. *Mais observez les coûts fixes… Quel écart ! Les coûts fixes mensuels de Disney World sont 10 000 fois plus élevés que ceux d'un Dairy Queen !* Ainsi donc, pour faire un profit, Disney doit fixer ses prix BEAUCOUP PLUS HAUT que Dairy Queen.

Alors, pourquoi les prix de Disney World ne sont-ils pas 10 000 fois plus élevés que ceux d'un Dairy Queen ? Parce que personne ne paierait 40 000 $ pour une banane royale, *même pas un gorille stupide !* Par conséquent, Disney World doit déterminer un prix raisonnable et équitable selon ce que le consommateur est prêt à payer.

Si jamais vous visitez Disney World, vous remarquerez sans doute assez rapidement que le consommateur est prêt à payer davantage que ne le ferait celui qui visite un Dairy Queen. Les choses sont ainsi parce que, premièrement, l'enceinte de Disney World ne compte aucun concurrent, une situation qui lui accorde l'entière liberté de fixer ses prix plus hauts. Deuxièmement, les visiteurs du Monde de Disney ne sont pas là pour économiser de l'argent, mais pour en ramener des souvenirs mémorables, et si cela requiert de payer deux ou trois fois plus cher pour une banane royale, et bien soit !

Qu'en est-il de la banane royale à 40 $ du Ritz Carlton de Tokyo ? Eh bien, puisque le Japon favorise une économie fermée, et que ce pays restreint aux limites d'une île relativement petite doit importer presque toutes ses ressources naturelles, telles que l'huile, les coûts variables et fixes y sont BEAUCOUP PLUS ÉLEVÉS qu'en Amérique. Conséquemment, le Japon affiche des prix parmi les plus élevés au monde, quel que soit le produit ou le service.

Commencez-vous à saisir pourquoi je maintiens que le prix reste « le bon », bien que celui qu'exige le commerce A soit BEAUCOUP plus élevé que celui du commerce B ?

LES COÛTS CORPORATIFS QUIXTAR

Essayons maintenant de comprendre l'impact des coûts variables, des coûts fixes et de la marge contributive sur la gamme de produits Quixtar et sur votre commerce indépendant. En premier lieu, dressons la liste des coûts variables et fixes corporatifs de la compagnie.

LA SOCIÉTÉ QUIXTAR

Coûts variables	*Coûts fixes*
Fabrication	Édifices
Expédition et distribution	Équipement
Entreposage	Services administratifs
Transport	Ordinateurs et accessoires de bureau
Matières premières et ingrédients	Utilitaires
Emballage	Salaire du personnel administratif
	Recherche et développement
	Croissance internationale
	Site Internet, développement et entretien

Étant donné que Quixtar est une société multimilliardaire, de toute évidence ses coûts variables et fixes sont énormes, atteignant en moyenne des centaines de millions de dollars annuellement. Pour tout commerce, petit ou gros, la clé de la rentabilité est de maintenir les prix à un niveau raisonnable et équitable, tout en limitant au minimum les coûts variables. Cette affirmation est particulièrement vraie pour une compagnie du calibre de Quixtar, qui vise des *profits pouvant atteindre des millions de dollars, voire des milliards, année après année, des profits que la compagnie partage avec vous !* Pas de profits, pas de partage ! Donc, plus Quixtar fait des profits, plus la part du gâteau est grosse pour les PCI. Il ne vous suffit donc pas de voir Quixtar faire des profits chaque année, mais vous désirez que la compagnie enregistre des profits RECORDS ! Par le fait même, cela accordera à votre commerce de jouir de profits du même ordre, année après année, n'est-ce pas ?

Comparez vos coûts à ceux d'un dépanneur

La meilleure partie de la rentabilité de Quixtar est le fait qu'elle absorbe la part du lion des coûts variables et fixes associés à l'occasion d'affaires Quixtar. Comparativement à la plupart des commerces, les coûts d'exploitation pour un PCI sont ridiculement bas, surtout si l'on s'arrête au potentiel de rentabilité élevé de l'occasion d'affaires.

Accordez-vous un moment pour étudier les deux tableaux ci-dessous qui comparent les coûts variables et fixes mensuels d'un PCI aux coûts de lancement d'une franchise.

Le PCI Quixtar

Coûts variables	*Coûts fixes*
Documentation	Ordinateur
Échantillons de produits	Bureau à domicile
Coût des produits vente au détail	Lignes téléphoniques pour commerciales
Essence pour la voiture	Achats mensuels de livres, cassettes et autres outils
	Services de branchement Internet

COÛTS DE LANCEMENT D'UNE FRANCHISE*

Dépenses	_Marge de variation inférieure-supérieure ($)_
Redevance de franchisage	15 000
Formation	2 000 – 12 000
Construction de l'édifice	175 000 – 600 000
Équipement et production d'affiches	115 000 – 195 000
Coûts d'aménagement du site	120 000 – 150 000
Dépôts et licences	3 500 – 24 000
Approvisionnements	30 000 – 70 000
Coûts de l'ouverture officielle	5 000 – 10 000
Assurances	4 500 – 12 000
Honoraires professionnels	1 000 – 5 000
Autres coûts	10 000 – 20 000

données extraites du site Web circlek.com
© 2000-2002 Tosco Corporation

Comme je l'ai déjà dit, les menues dépenses énumérées ci-devant ne sont que des *coûts de lancement* d'une franchise ! À ces dépenses s'ajoutent les coûts variables et fixes que les investisseurs doivent payer mensuellement avant d'espérer faire un quelconque profit !

Comparez ces coûts à ceux de l'occasion d'affaires Quixtar, et vous constaterez qu'un PCI Quixtar peut exploiter un commerce rentable pendant une année entière pour une somme équivalente aux coûts d'exploitation *journaliers* d'une franchise ! En dépit de coûts de lancement et de frais généraux mensuels énormes, les franchises de dépanneurs s'envolent comme des petits pains chauds. Pourquoi ? Parce que malgré le fait que les prix d'un dépanneur sont de 20 à 200 fois plus élevés que ceux d'un Wal-Mart, les propriétaires de dépanneurs, bien situés, font de bonnes affaires. Voilà la preuve que la clé du succès en affaires n'est pas les bas prix, mais plutôt de trouver un modèle d'affaires qui fonctionne et, par la suite, de l'exploiter sans relâche.

POURQUOI DES PRIX PLUS BAS MÈNENT À DES PROFITS RÉDUITS

Comme conseiller dans l'industrie de l'hospitalité, les gens me rappellent continuellement le fait que les Nord-Américains ont été conditionnés à penser que moins cher c'est mieux. Par exemple, lorsque j'accours à l'aide d'un propriétaire d'hôtel ou de restaurant en difficulté, à l'occasion, un proprio sans expérience me dit : *« J'ai réduit mes prix au maximum, et mon commerce n'est toujours pas rentable. »*

Lorsque j'entends une telle remarque, je prends mon stylo et griffonne sur le bout d'une serviette de table des explications brèves qui aident mon client à comprendre pourquoi réduire les prix est habituellement la PIRE stratégie à utiliser pour accroître les profits. J'appelle cette présentation éclair, la « boîte à profit ». La voici !

LA BOÎTE À PROFIT

Plein prix	*Prix réduit de 20 %*
Prix du produit = 10 $ Marge contributive = 5 $ Coûts = 5 $	Prix du produit = 8 $ Marge contributive = 3 $ Coûts = 5 $

Après avoir tracé cette illustration, j'explique au proprio en difficulté que des prix réduits *ne réduisent pas pour autant les coûts*, tels que ceux de la nourriture, du loyer, du salaire des employés et autres ; ils restent stables à 5 $. Si les coûts restent inchangés, qu'est-ce qui subit une baisse lorsque les prix sont réduits ? La marge contributive !

C'est déjà désastreux, mais ce que la plupart des gens négligent de considérer est la *sévérité de l'impact* des rabais sur la marge contributive. Pour une réduction de prix de 20 %, de 10 $ à 8 $, *la marge contributive chute de 40 %, de 5 $ à 3 $!*

C'est généralement à ce moment que le propriétaire affaisse les épaules et ajoute sensiblement ce qui suit : « Oui, mais j'espérais pallier la réduction de la marge contributive par un accroissement des ventes. »

« Merveilleuse idée, lui dis-je, mais combien de ventes additionnelles vous faudra-t-il pour pallier votre perte de revenu ? »

« Eh bien, si je réduis mes prix de 20 %, je devrai, de toute évidence, servir 20 % de repas additionnels. »

Logique, n'est-ce pas ? Mais voici pourquoi il est si crucial de comprendre le concept de la marge contributive. Le propriétaire a tout à fait raison ; il devra servir plus de repas. Par contre, il reste estomaqué d'apprendre que ni 20 % ni même 40 % de repas de plus ne suffirait. En vérité, *une réduction de prix de 20 % exigerait une hausse de 67 % du nombre de repas servis pour espérer atteindre le chiffre d'affaires d'avant baisse!* Effectuez les calculs avec moi.

La marge contributive sur un repas de 10 $ = 5 $
100 repas = 500 $ de marge

La marge contributive sur un repas de 8 $ = 3 $
100 repas = 300 $ de marge

En fonction d'une marge de 3 $, combien de repas doivent être servis pour pallier l'écart de 200 $? Environ 67 repas additionnels (67 x 3 $ = 201 $). Bref, le propriétaire qui réduit de 20 % le prix d'un repas de 10 $ devra servir 67 % de repas additionnels pour atteindre le chiffre d'affaires d'avant baisse!

Vous saisissez pourquoi je dis que des prix plus bas mènent habituellement à des profits réduits?

Ajouter dc la valeur est plus facile (et plus intelligent) que réduire les prix

Bon, nous avons déterminé que réduire les prix Quixtar mène à une diminution des profits, un scénario que ne favorise ni les PCI ni la compagnie. Toutefois, certains des lecteurs du présent ouvrage, animés de la pensée «consommateur», pourraient rétorquer ceci:

« Je suis d'accord qu'une réduction de prix entraînerait une baisse des profits. Mais des prix plus bas encourageraient plus de consommateurs à acheter les produits Quixtar, assurant, de ce fait, des profits stables ou plus élevés. »

Je comprends ce raisonnement et, d'entrée de jeu, leur énoncé semble passablement logique. Cependant, comme ma «boîte à profit» l'a illustré, toute réduction de prix exigerait une hausse de 67 % du chiffre d'affaires pour pallier le manque à gagner. Pensez à l'impact d'une telle exigence sur votre commerce. Si Quixtar réduisait de 20 % le prix de tous ses produits, *vous seriez contraint d'augmenter de 67 % votre nombre de contacts pour jouir d'un même revenu! Votre horaire vous le permettrait-il? PAS DU TOUT!*

Je sais que Wal-Mart s'est hissé au rang des plus grandes réussites commerciales de l'histoire en vendant beaucoup d'articles à prix réduits. Mais, je désire vous rappeler à nouveau que le modèle «prix très réduits» est *UN des modèles d'affaires, mais il n'est pas LE SEUL!* Ce modèle fonctionne pour Wal-Mart, mais il n'est pas nécessairement un gage de réussite, tel que l'a démontré la faillite de Kmart. Oui, Wal-Mart est parvenu à accroître ses profits en augmentant son chiffre d'affaires. Cependant, c'est là SON modèle d'affaires, et il a fallu à la compagnie 40 ans et 3 000 magasins pour le peaufiner.

Toutefois, comme PCI, vous devez rappeler à vos clients et associés potentiels la définition du mot « prix » : *le prix est ce que vous devez céder pour obtenir ce que vous désirez.* D'une part, le consommateur qui fait ses emplettes dans un Wal-Mart doit forcément céder d'importantes valeurs intangibles, telles que la commodité, le service, l'information, le temps, et ainsi de suite. D'autre part, pour le consommateur qui fait ses emplettes chez Quixtar.com, ces « intangibles » sont compris dans le prix, et EN PLUS, il est gratifié du bénéfice de pouvoir s'approprier une occasion d'affaires, à peu de risque et sans pareille, qui peut s'avérer extrêmement rentable. Pouvez-vous en dire autant de Wal-Mart ? Non, bien sûr.

COMPRENEZ ET FAITES HONNEUR À VOTRE MODÈLE D'AFFAIRES

Avez-vous observé que chaque coin de rue achalandé compte un dépanneur ? Savez-vous pourquoi la plupart de ces magasins vendent de l'essence en plus de denrées à prix élevé ? Voici une courte leçon d'histoire sur l'évolution du modèle d'affaires du dépanneur.

Selon votre âge, vous vous souvenez peut-être de l'époque où les postes d'essence portaient le nom « station-service » ? Durant les années 50 et 60, vous pouviez faire le plein d'essence sans devoir quitter le confort de votre véhicule. Quelle époque merveilleuse ! Tout en faisant le plein, le préposé nettoyait vos glaces et vérifiait le niveau d'huile de votre moteur. Mais, progressivement, ce modèle a cédé la place au poste d'essence libre-service, en réponse aux consommateurs soucieux d'économiser un dollar ou deux en faisant le plein eux-mêmes. Rapidement, cependant, les pétrolières ont constaté que les profits enregistrés par la vente de carburant, et rien d'autre, étaient pitoyablement bas. Ainsi donc, elles décidèrent d'approvisionner leurs petits postes d'essence en grignotines vendues à prix élevé.

Rapidement, les comptables à la petite semaine des grosses compagnies ont constaté que vendre des denrées à prix élevé était beaucoup plus rentable que vendre du carburant à petit profit. Ainsi, les grandes pétrolières ont effectué un revirement et se sont concentrés sur le volet « dépanneur » de leur commerce. C'est pour cette raison qu'aujourd'hui chaque intersection achalandée compte un dépanneur de plus en plus gros. Chaque grande pétrolière (Ultramar, Petro-Canada, Esso…) exploite sa propre chaîne de dépanneurs, et fait des pieds et des mains pour en ériger davantage ou pour remplacer leurs dépanneurs existants, petits et désuets, par des méga-magasins plus gros et plus rentables. Croyez-vous que les franchises de ces grands dépanneurs réduisent leurs prix pour faire concurrence aux magasins à prix réduits ? Jamais, au grand jamais ! Ils les maintiennent toujours aussi élevés et, EN PLUS, continuent d'ajouter d'autres produits et services très rentables, tels que le lave-auto libre-service.

Mon point est le suivant. Il y a quelques années, les pétrolières ont découvert que leur modèle à prix très réduits ne fonctionnait pas. Leur marge de profit était tellement réduite que leurs postes d'essence étaient difficilement rentables. Ainsi, *au lieu de poursuivre leur politique de réduction des prix, les pétrolières ont choisi d'ajouter de la valeur.* En effet, elles ont décidé de faire de la vente de denrées une valeur ajoutée pour leurs clients, pressés par le temps. Dès qu'elles eurent troqué le modèle « prix très réduits » pour le modèle « dépanneur », les pétrolières se mirent à nouveau à engranger des profits.

LA VALEUR AJOUTÉE DE QUIXTAR S'ACCUMULE VRAIMENT !

Que peuvent apprendre les PCI Quixtar de l'expérience des pétrolières ? Réfléchissez un instant. Si les pétrolières peuvent faire d'énormes profits en ajoutant une seule valeur économie-temps, la commodité, imaginez les possibilités si en plus vous ajoutez de l'information, des produits uniques, une garantie sans réserve, un service de commande 24 heures, la livraison à domicile et, surtout, une OCCASION D'AFFAIRES !

Chers lecteurs, réfléchissez sérieusement à ce que vous avez à offrir ! Ne vous arrêtez pas aux bas prix et aux gros rabais. Les proprios de dépanneurs en ont depuis longtemps fait fi pour se concentrer sur l'ajout de valeur, et rien ne les arrête !

Vous pouvez faire de même. Comme le propriétaire de dépanneur fixe ses prix pour faire des profits, les dirigeants de Quixtar visent le même objectif en fixant des prix raisonnables et équitables et, par la suite, vous refilent une portion importante de leurs bénéfices en guise de compensation pour les efforts déployés pour distribuer leurs produits et faire croître votre commerce. Ne remettez pas en question les prix ; ils sont très bien ainsi. Tels qu'ils sont fixés, les prix Quixtar attirent les ventes… et les profits.

Laissez à vos partenaires corporatifs la responsabilité de fixer les prix et d'ajouter des produits, alors que vous vous préoccupez de faire votre travail : fixer des rendez-vous et ajouter de la valeur. Finalement, à titre de professeur dans le domaine des affaires et de propriétaire de commerce, mon conseil est simple :

Concentrez-vous sur les profits et non sur les prix.

C'est ce que font Wal-Mart, les proprios de dépanneurs… et les PCI prospères.

CHAPITRE 6

COMMERCIALISEZ LES MONSTRES !

Le moment, le lieu et la manière les plus efficaces
de vendre un produit sont ceux qui en favorisent la vente.
— GEORGE F. WILL, CHRONIQUEUR CONSERVATEUR

A u début de l'an 2000, Procter & Gamble, le géant de 165 ans de l'industrie de la consommation de produits grand public, éprouvait des difficultés. En dépit d'investissements de millions de dollars pour fabriquer un nouveau superproduit, les ventes de la compagnie restaient à plat et la valeur de l'action chutait de 50 %.

Puis ce fut l'entrée en scène de A. G. Lafley, le nouveau président et directeur-général. Sous sa tutelle, la compagnie effectua un retour aux sources, et se concentra sur la commercialisation et l'extension de ses produits populaires pour la maison et les soins personnels, tels que le détergent Tide, les serviettes Charmin, le café Folgers et la pâte dentifrice Crest.

Quel fut le résultat de l'adoption de cette politique ? Procter & Gamble se remit sur les rails, jouissant de profits records et d'une croissance solide, malgré le fait qu'elle soit une compagnie mature menant des affaires dans une conjoncture économique mondiale faible.

RÉSERVEZ-VOUS UNE PLUS GROSSE POINTE DE LA TARTE « PROFITS »

Les PCI peuvent tirer une inestimable leçon du revirement expérimenté par Procter & Gamble : pour maximiser la rentabilité, *favorisez la commercialisation des produits de base qui vous sont les plus rentables.*

En d'autres termes, « commercialisez les monstres de la marge », un conseil que je prodigue à mes clients de l'industrie de la retauration. (Les « monstres de la marge » font référence à la *marge contributive*.) Commercialiser les monstres signifie identifier les produits qui offrent la plus forte marge, et ensuite, les commercialiser au maximum en leur ajoutant de la valeur, en faisant la promotion de leur unicité, et en les gardant constamment bien en vue de vos clients.

Par exemple, un camarade consultant m'a dit comment il avait aidé un propriétaire de restaurant, situé dans un hôtel légendaire de la Floride, à accroître son bénéfice net de *plusieurs milliers de dollars mensuellement*, grâce à deux suggestions simples visant la commercialisation de ses monstres de la marge. Lorsque le gérant du restaurant souligna au consultant que seulement 10 % des clients commandaient des desserts (mets porteurs d'une énorme marge contributive à cause du coût peu élevé des ingrédients), mon ami lui suggéra de les placer sur un chariot mobile et de le déplacer dans le resto, toutes les 15 minutes, afin de placer les desserts à la vue des clients pendant qu'ils dégustent leur plat.

Bien que la vente de desserts aie immédiatement doublé, plusieurs clients continuaient de s'en priver parce que, pour eux, tous les desserts semblaient si bons qu'ils étaient «incapables de choisir». Le consultant suggéra donc d'apprêter une assiette d'échantillons de chaque dessert. Chose étonnante, les ventes de dessert doublèrent à nouveau rapidement, 40 % des clients en commandaient, et une large part de cette augmentation des ventes à forte marge gonfla le bénéfice net du restaurateur. Voilà ce qu'est la *commercialisation des monstres de la marge !*

RIEN D'AUTRE QUE DES CRÊPES

Le même concept s'applique à votre commerce Quixtar. Pour vous assurer une rentabilité maximale, vous devez identifier les produits qui offrent la plus forte marge contributive et, par la suite, les commercialiser de façon vigoureuse à vous-même et aux autres. Rappelez-vous que, maintenant que vous êtes en affaires, vous devez troquer votre façon de penser «consommateur» contre celle du propriétaire de commerce. Et les propriétaires de commerce qui désirent rester en affaires prennent des décisions qui favorisent la croissance et la rentabilité ; commercialiser les monstres est le moyen le plus sûr d'atteindre ce but.

Alors que je fréquentais le collège, je travaillais dans un petit restaurant d'Ocean City, au New Jersey. Même si ce commerce servait des petits déjeuners, des déjeuners et des dîners, une portion disproportionnée du bénéfice net provenait des petits déjeuners, parce que la marge contributive sur les œufs, les toasts et les crêpes est tellement plus élevée que sur tout autre mets servi au déjeuner ou au dîner.

Je me souviens du commentaire du propriétaire : « S'il n'en tenait qu'à moi, je ne servirais que des crêpes. » Pourquoi ? Parce que la marge contributive sur une portion de crêpes à 2 $ est d'environ 1,80 $! En d'autres mots, le plat de crêpes ne coûtait au proprio que 20 cents en coûts variables (mélange à crêpe et eau), c'est à dire un retour sur investissement équivalent à NEUF FOIS les coûts variables ! Plus qu'un monstre de la marge, les crêpes étaient, pour le proprio, un véritable Godzilla !

Malheureusement pour le propriétaire de ce restaurant, il était contraint de ne servir son meilleur monstre de la marge que pendant quelques heures chaque jour. Mais, heureusement pour vous, vous n'êtes pas tenu de respecter ces limites de commercialisation de « vos montres ». Vous et votre organisation pouvez le faire 24 heures sur 24, chaque jour de l'année !

Bien gérer son inventaire de produits

Tout commerce prospère compte sur une variété efficace de produits, c'est-à-dire rien d'autre qu'un éventail complet des produits et services qu'offre le commerce. Les propriétaires de commerce intelligents savent quels produits offrent la marge contributive la plus élevée. Par conséquent, ils les commercialisent avec plus de vigueur. Par exemple, les recherches menées dans l'industrie de la restauration ont révélé que lorsque les Nord-Américains consultent leur menu, leurs yeux se dirigent en premier lieu vers le côté supérieur droit de la page de droite. Alors, que font les propriétaires de restaurant intelligents ? Ils y inscrivent leurs monstres de la marge, bien sûr. Pour un commerce, rien de plus logique, n'est-ce pas ?

Avez-vous identifié les monstres de la marge de votre gamme de produits ? Il s'agit des produits fabriqués par Quixtar, votre partenaire corporatif. En effet, comme Tide et d'autres marques de commerce représentent les produits de base de Procter & Gamble, les produits fabriqués par Quixtar constituent les produits de base de votre commerce.

Les produits offerts par les magasins-partenaires font partie de votre gamme de produits, et ils aident à la croissance de votre commerce en augmentant le nombre de produits que vous êtes en mesure d'offrir. Cependant, ces produits offrent une marge contributive beaucoup moindre que les produits Quixtar de base. En fait, en moyenne, *la marge contributive des produits Quixtar est 2,5 fois plus élevée que celle qu'offrent les produits des partenaires*. La raison en est simple : Quixtar n'a qu'à payer les coûts variables. Toutefois, lorsque Quixtar achète des produits d'autres compagnies, elle doit non seulement fixer un prix qui comprend les coûts variables, *mais aussi les coûts fixes et le bénéfice.* Cela signifie que la part du gâteau pour les PCI est passablement réduite.

La gamme de produits par numéro des produits Quixtar

Je désire vous rappeler que, comme consultant en affaires, j'ai étudié des centaines de commerces au cours des 20 dernières années, et je crois pouvoir affirmer que moins de 10 % d'entre eux savent identifier leurs monstres de la marge. La plupart des propriétaires de commerce considèrent que les produits vendus au plus haut prix sont les plus rentables, mais il n'en est pas ainsi. Toutefois, vous savez maintenant que les produits les plus rentables sont ceux qui offrent la plus forte marge contributive. C'est pour cette raison que tant de restaurants continuent d'essuyer des pertes, bien qu'ils jouissent d'un chiffre d'affaires élevé. En réalité, les propriétaires de ces restaurants *se dirigent eux-mêmes vers l'échec parce qu'ils ne comprennent pas ce qu'est la marge contributive.* Quelle tristesse !

Dès lors que vous comprendrez l'importance de cette marge, vous jouirez d'une meilleure position pour apprécier comment Quixtar a conçu un modèle d'affaires qui facilite l'identification de vos monstres de la marge, et ainsi vous permet d'offrir une gamme de produits qui maximise vos profits. Outre le fait que la direction de Quixtar comprend ce qu'est la marge contributive, elle sait aussi comment motiver les PCI à commercialiser les monstres de la marge : *elle assigne des numéros PV/BV à chaque produit !*

Ces numéros permettent aux PCI d'identifier instantanément la marge contributive de chacun des produits. Plus les numéros PV/BV sont élevés, plus la marge contributive est grande, et plus cette marge est grande, plus le produit est rentable pour les PCI et pour Quixtar. En assignant ces numéros à chaque produit, la direction de Quixtar offre à ses PCI un système par numéro pour faciliter la gestion de leur gamme de produits offerts. L'assignation de numéros PV/BV élimine toute stratégie de commercialisation qui ne serait qu'une conjecture. Contrairement à mes clients propriétaires de restaurants, vous n'avez nul besoin de vous payer des consultants à haut tarif pour refaire votre gamme de produits, puisque les numéros PV/BV sont des plus évidents !

DE BON À EXCELLENT

Maintenant, voici le volet le plus intéressant de votre gamme de produits par numéro. Depuis 2002, Quixtar fabrique plus de 450 produits de haute qualité, favorables à la santé, très en demande, et respectueux de l'environnement. Puisque ces produits de base sont majoritairement non durables, cela signifie qu'en plus d'être des monstres de la marge, ils contribuent à améliorer la vie des gens. Force est d'admettre que bien peu de compagnies peuvent s'approprier une telle revendication!

Par exemple, les compagnies d'assurances maintiennent depuis longtemps la réputation de gonfler leurs profits, en payant à leurs vendeurs de plus fortes commissions pour la vente de produits offrant les plus fortes marges de rentabilité. Rien de mal à cela. Motiver ses vendeurs en leur offrant des commissions plus alléchantes, c'est bien. Malheureusement, trop de produits d'assurances offrant une forte marge de rentabilité, tels que l'assurance vie entière à taux très élevé et à faible rendement, sont aussi mauvais pour la santé financière des gens que le sont les desserts et les crêpes pour leur *santé physique*, et cela, c'est mauvais!

Par contre, les monstres de la marge de Quixtar sont non seulement bons pour Quixtar et pour les PCI, *mais aussi pour tous ceux qui les consomment!* Non seulement c'est bon, mais EXCELLENT!

TENEZ COMPTE DES MAGASINS PARTENAIRES

Certains lecteurs pourraient méprendre ma suggestion de commercialiser les monstres pour un plaidoyer à délaisser les produits offerts par les magasins partenaires. Ce n'est pas du tout mon but. Commercialiser les monstres signifie *se concentrer* sur les produits de base; cela *NE signifie PAS* pour autant qu'il faille *délaisser* les magasins partenaires.

Par exemple, lorsque je conseille à mes clients propriétaires de restaurants d'annoncer leurs monstres de la marge dans la partie supérieure droite de leur menu, je ne leur suggère nullement de ne vendre *rien d'autre*. Ce serait insensé. Si les monstres de la marge d'un restaurant sont les plats de pâtes, et que certains clients n'en veulent pas parce qu'ils en ont consommé au déjeuner, de grâce, prenez note du plat désiré et servez-le à votre client avec le sourire!

De même, commercialiser les monstres de la marge de Quixtar signifie faire D'ABORD la promotion des produits de base et, par la suite, promouvoir ceux des magasins partenaires, et ajouter à la valeur de l'expérience d'achat Quixtar en mettant l'accent sur la livraison à domicile, l'achat par téléphone ou en ligne, et la garantie satisfaction ou argent remis. (Pas de reçu ? Pas de problème ! Contrairement à la plupart des grands magasins et des magasins à rabais qui refusent tout remboursement sans reçu.)

Ne vous y trompez pas. Les produits offerts par les magasins partenaires comblent une partie importante de votre gamme de produits. L'accès à des milliers de produits de marque déposée, de valeur sûre, offerts par des milliers de partenaires d'affaires est une grosse plume à votre chapeau de marchandisage.

Dès lors que vous êtes un propriétaire de commerce, vous devez constamment vous rappeler de penser comme un propriétaire de commerce et non comme un consommateur, et cette façon de penser vous indique que, lorsque vous commercialiser les monstres de la marge, vous et les membres de votre organisation pouvez gagner 2,5 fois plus d'argent pour le même effort.

Gagner plus du double d'argent pour le temps et l'effort investis, c'est travailler plus intelligemment et non avec plus d'ardeur. C'est cela la clientreprise Quixtar !

CHAPITRE 7

L'ACHAT D'UNE MAISON : LA PENSÉE PROPRIÉTAIRE DE COMMERCE EN ACTION

*L'amour pour son pays a pour moteur
l'amour pour son foyer.*
— EXTRAIT DE *THE OLD CURIOSITY SHOP*
DE CHARLES DICKENS (1840)

V oici quelques faits associés aux styles de vie, en différents endroits de la terre, qui illustrent combien il est facile de tirer des conclusions irrationnelles.

- Puisque les Japonais consomment *très peu d'aliments gras*, ils sont victimes de moins de problèmes cardiaques que les Britanniques ou les Américains.

- Les Français consomment *beaucoup d'aliments gras*. Toutefois, ils sont aussi moins victimes de problèmes cardiaques que les Britanniques ou les Américains.

- Les Chinois boivent *peu de vin rouge* et souffrent moins de problèmes cardiaques que les Britanniques ou les Américains.

- Finalement, les Italiens boivent *beaucoup de vin rouge* et, eux aussi, souffrent moins de problèmes cardiaques que les Britanniques ou les Américains.

Conclusion : *Mangez et buvez ce que vous voulez, mais parler anglais vous tuera !*

CHERCHER L'ACHAT À RABAIS, UN MYTHE QUI PERDURE

Cette conclusion *non sequitur* (expression latine qui signifie « qui n'a pas de suite ») nous fait sourire, tellement elle est ridicule. (La logique est outrageusement fautive, mais la blague est bonne !)

Alors qu'aucun individu rationnel ne parviendrait à tirer la conclusion que parler anglais est mauvais pour le cœur, nous sommes tous coupables de tirer des conclusions irrationnelles, à l'occasion. Par exemple, selon Dan Ariely, expert en recherche sur la consommation de l'Université de la Californie, à Berkeley, peu de gens se considèrent irrationnels. Cependant, les résultats de ses tests indiquent que presque tous font preuve d'irrationalisme lorsqu'il s'agit de prendre des décisions susceptibles de leur faire gagner de l'argent.

Soumettez-vous au jeu-questionnaire ci-dessous, conçu par Ariely, afin de déterminer si vous faites montre d'un comportement rationnel lors de vos achats :

JEU-QUESTIONNAIRE 1 : ÉCONOMISER OU NE PAS ÉCONOMISER
Pour chaque question, encerclez la bonne réponse.

a) Vous vous présentez dans un magasin de produits pour soins corporels afin d'y acheter du savon à 7 $. Le commis vous informe que le même produit est en solde à 3 $ dans une autre succursale du même commerce, situé à dix minutes de marche. Vous y rendriez-vous ?

❏ OUI   ❏ NON

b) Vous vous rendez dans un magasin haut de gamme pour y acheter un complet à 677 $. Le commis vous informe que le même complet se vend 673 $ dans une autre succursale du même commerce, situé à dix minutes de marche. Vous y rendriez-vous ?

❏ OUI   ❏ NON

D'après Dan Ariely, plus de personnes répondent OUI à la question A et NON à la question B. Pourquoi ? Parce qu'ils ont déterminé qu'acheter du savon à 3 $ au lieu de 7 $ équivaut à un rabais de plus de 50 %, alors qu'une réduction de 4 $ sur un complet de 677 $ représente un rabais de moins de 1 %. Par conséquent, ils concluent « logiquement » qu'un rabais de 50 % vaut le déplacement de 10 minutes à pied, mais pas un minuscule escompte de 1 %. Toutefois, comme le souligne Ariely, 4 $ de rabais, c'est 4 $, quel que soit le coût de l'article. Ainsi donc, une personne rationnelle répondrait OUI ou NON aux deux questions posées.

LA SEULE FAÇON D'ÉCONOMISER SUR UNE DÉPENSE EST D'ÉCONOMISER LA DIFFÉRENCE

Qu'avez-vous répondu aux questions ? J'ai répondu NON aux deux questions, parce que je sais que le prix est ce que vous devez céder pour obtenir ce que vous désirez et, dans chaque cas, l'économie de 4 $ ne vaut pas 20 minutes de mon temps.

En fait, permettez-moi de pousser ma réflexion un peu plus loin que ne l'a fait Ariely et d'affirmer que les gens n'économisent pas en faisant leurs courses à la recherche de rabais, puisque dépenser est une sortie d'argent et non un revenu. Lorsque les gens achètent un article à 10 $ en solde à 6 $, ils rationalisent que leur achat leur a permis d'économiser 4 $. Toutefois, cette façon de penser est irrationnelle parce qu'une dépense de 6 $ est une dépense de 6 $, un point c'est tout ! La seule façon d'économiser en achetant à rabais est de n'acheter que les articles absolument nécessaires et, par la suite, de déposer la différence entre le prix régulier et le prix réduit dans un compte de banque spécial et de laisser l'argent s'accumuler. *C'est cela épargner !*

Mais l'évidence révèle que peu de gens font preuve de suffisamment de discipline pour mettre de côté l'argent «économisé» sur des achats à rabais. Lorsque les gens s'enorgueillissent de l'argent «économisé» en effectuant des achats intelligents, je leur réponds : «C'est merveilleux, mais puis-je vous poser une question ? Si vous affirmez acheter si intelligemment, qu'en est-il du montant total "économisé" à la fin de l'année ?» En guise de réponse, ces personnes marmonnent : «Je n'en ai pas. Je l'ai sans doute utilisé pour effectuer d'autres achats à rabais», ou quelque réponse semblable. En fait, ces personnes n'ont pas vraiment «économisé» d'argent, mais plutôt diversifié leurs dépenses en achetant davantage d'articles à rabais. Inutile d'être un génie pour comprendre pourquoi les Nord-Américains accumulent des soldes de cartes de crédit records !

LA CLIENTREPRISE : GELER L'ARGENT
DANS VOTRE COMPTE DE BANQUE

Dans mon livre, *Place aux clientrepreneurs !*, j'ai affirmé que les fabricants font de l'argent, les consommateurs dépensent de l'argent, *et les clientrepreneurs font de l'argent en le dépensant.* Mais comment y parviennent-ils ? En achetant intelligemment et non à rabais.

Un exemple classique de la clientreprise est l'achat d'une maison. Un paiement hypothécaire mensuel de 1 000 $ vaut mieux qu'un loyer mensuel de 500 $, un rabais de 50 % qui vous permet tout de même d'«économiser» 500 $ mensuellement. Pourquoi ? Parce que le montant payé pour le loyer *réduit votre valeur nette*, alors que le paiement hypothécaire pour une maison dans un bon quartier *accroît cette valeur.* La clientreprise, c'est essentiellement l'identification de véhicules qui vous aident à faire de l'argent en le dépensant.

Avant d'aborder la question concernant la manière dont le modèle d'affaires Quixtar élargit le concept de la clientreprise pour y inclure non seulement votre maison, mais PRATIQUEMENT tout ce qu'elle contient, prenons quelques minutes pour explorer les avantages énormes de la clientreprise dans le contexte de l'achat d'une maison.

L'ACHAT D'UNE MAISON : LA PENSÉE PROPRIÉTAIRE DE COMMERCE EN ACTION

Pourquoi être propriétaire d'une maison est-il une si bonne affaire ? Pour trois raisons. Premièrement, le paiement hypothécaire est semblable à une épargne forcée. En effet, puisqu'une partie de votre paiement contribue à réduire votre capital, *cet argent est automatiquement gelé* dans la valeur marchande de votre maison, accroissant ainsi votre valeur nette de façon continue. Deuxièmement, toute *somme investie dans votre maison peut rapporter de gros dividendes*. Un investissement de 20 000 $ pour des rénovations et l'ajout d'une pièce, par exemple, peut rapporter deux, trois et même dix fois ce montant. Et troisièmement, *la portion « intérêts » du paiement hypothécaire* peut réduire votre revenu imposable, vous faisant économiser ainsi des milliers de dollars annuellement.

Tout compte fait, d'un point de vue affaires, l'achat d'une maison est tellement logique parce que les incitatifs financiers sont énormes. Par exemple, si vous louez un appartement ou une maison pendant 10 ans et décidez, un beau jour, de déménager, combien d'argent mettrez-vous dans vos poches après 120 mois de location ? Un gros zéro ! Par contre, la vente d'une maison, située dans un bon quartier, après dix ans de possession, vous permettrait d'empocher des milliers, voire des dizaines de milliers de dollars. De plus, la bonne veine (ou l'intelligence) d'être propriétaire de la « bonne » maison, située au « bon » endroit, alors que le marché immobilier est en pleine expansion, pourrait vous valoir des *centaines de milliers de dollars, et même des millions, en profits,* résultat de la vente de votre propriété !

Chaque jour, des millions de personnes tirent avantage de l'argent gelé dans leur maison en vendant ou en refinançant leur propriété, ce qui explique pourquoi posséder sa maison est une des pierres maîtresses de la libre entreprise. C'est aussi pourquoi 68 % des Nord-Américains possèdent leur propre maison. Bien que

moins de 10 % d'entre eux possèdent leur propre commerce,
lorsqu'il s'agit de posséder sa maison, ils ont appris à troquer leur
façon de penser «consommateur» contre celle du propriétaire de
commerce. En d'autres termes, la plupart des Nord-Américains
propriétaires de maison pensent comme des propriétaires de commerce le temps venu d'acheter une maison. C'est pourquoi je dis
que se porter acquéreur d'une maison, c'est la pensée «propriétaire de commerce» en action.

LES PROPRIÉTAIRES DE MAISON INTELLIGENTS
PENSENT COMME DES PROPRIÉTAIRES DE COMMERCE

Quel est le sens de mon affirmation «les propriétaires de maison troquent leur façon de penser *consommateur* pour celle d'un
propriétaire de commerce», lorsqu'il est question de prendre des
décisions concernant leur maison, DE LOIN le plus gros actif de
la majorité des Nord-Américains?

J'ai constaté que, majoritairement, les gens prennent de bonnes décisions d'affaires réfléchies lorsqu'il s'agit de l'acquisition
d'une maison, dont la décision majeure d'acheter au lieu de louer
(même si l'achat peut exiger une dépense additionnelle de centaines
ou de milliers de dollars mensuellement). Bien que seulement deux
personnes sur trois possèdent une maison, je me dois de croire que
les autres en posséderaient une si leur situation le leur permettait.
Les gens décident de louer NON par choix, mais par CONTRAINTE,
soit que leurs ressources financières insuffisantes ne leur permettent pas d'effectuer le paiement initial, soit que leur mauvais crédit
ou leur salaire ne leur permettent pas un tel achat. Sans contredit, si
les conditions leur étaient favorables, je parie que 99 % des gens
posséderaient leur propre maison, parce que les raisons logiques,
issues de la pensée «affaires», sont tellement impressionnantes
qu'il est impossible d'en faire fi. S'assurer la propriété d'une
maison n'a rien d'un casse-tête!

Maintenant, étudions plus attentivement ces raisons, car elles
révèlent que *tout propriétaire de maison est investi de la capacité
de prendre des décisions rationnelles, en adoptant la pensée «affaires», parce qu'il le fait jour après jour à titre de propriétaire!*
Par exemple, un jeune couple attendant un enfant est à la recherche de sa première maison, et dispose d'un revenu qui le qualifie
pour un emprunt de 100 000 $. L'homme et la femme dénichent
une maison en excellent état, construite par un entrepreneur de
bonne réputation. La maison compte trois chambres à coucher et
deux salles de bain, est située dans un quartier paisible et entourée

de bonnes écoles. Mais une maison identique, construite par le même entrepreneur et située dans un autre secteur de la ville, capte leur attention. Prix demandé : 60 000 $! Rappelez-vous que le prix est ce que vous devez céder pour obtenir ce que vous désirez, et acheter à 60 000 $ (40 % moins cher) exige de céder : les bonnes écoles, l'accroissement rapide de la valeur marchande de la propriété, et un quartier exempt de crime.

LA PLUPART DES PROPRIÉTAIRES DE MAISON
ACHÈTENT INTELLIGEMMENT ET NON MOINS CHER

C'est ici que la façon de penser « affaires » entre en jeu pour les propriétaires de maison. Les recherches ont révélé qu'en général les gens achètent la maison la plus chère que leur permettent leurs ressources ! Donc, dans le scénario précédent, 90 % des acheteurs choisiraient de payer 100 000 $! C'est là la preuve que lorsqu'il s'agit de l'achat d'une maison, les gens adoptent la façon de penser « affaires », et prennent des décisions rationnelles, porteuses de richesse, en achetant intelligemment et non moins cher. En d'autres mots, presque tout propriétaire de maison pense et agit comme un propriétaire de commerce, lorsqu'il s'agit de prendre des décisions concernant leur maison.

Tout cela me confirme que les gens ont beaucoup plus d'habileté en affaires qu'ils ne portent à leur crédit ! Le moment venu d'acheter une maison, le côté inné « affaires » du cerveau humain s'allume inconsciemment, comme si ce « gène » rationnel sommeillait jusqu'au moment où une décision d'acheter ou non une maison se présente. Quand cette occasion se présente, le gène « penser affaires » est automatiquement mis en circuit, et le demeure tant et aussi longtemps que les achats pour la nouvelle maison ne sont pas terminés. Par la suite, le gène « affaires » est mis hors circuit, et le gène « penser consommation » prend la relève.

Un instant ! Il est grand temps pour vous de vous assurer la maîtrise consciente de votre interrupteur « penser affaires », et d'y laisser circuler un COURANT CONTINU lorsque vous prenez des décisions liées à votre commerce Quixtar. Les principes qui font de l'acquisition d'une propriété une formalité, ou presque, s'appliquent aussi au commerce Quixtar. En fait, le parallèle est parfait entre les principes qui motivent le désir d'acheter une maison et ceux qui sous-tendent l'occasion d'affaires Quixtar. Observez ci-après la similitude entre les avantages qu'offre le modèle d'affaires d'un propriétaire de maison et celui de Quixtar.

Possession d'une propriété – Principe 1 : *Un pourcentage de votre paiement hypothécaire est automatiquement gelé dans votre propriété.* Vous pouvez appliquer le même principe à votre commerce Quixtar. Dès que vous achetez des produits Quixtar pour vos besoins personnels, payez-les à partir d'un compte affaires différent. Lorsque vous conservez la différence en argent entre le prix coûtant et le prix de vente des produits dans votre compte, vous gelez cet argent dans votre commerce, comme vous le faites lors du paiement de votre prêt hypothécaire. De même, tout achat de produits chez Quixtar par vos associés d'affaires gèle une certaine somme d'argent dans leur commerce ET dans le vôtre. Plus le volume d'achats est élevé, plus la somme d'argent gelée est importante, et plus la valeur de votre commerce augmente.

Possession d'une propriété – Principe 2 : *Investir dans votre maison peut vous payer des dividendes fort intéressants.* Les propriétaires de maison peuvent accroître la valeur de leur propriété en *investissant* temps et argent dans la décoration, le remodelage, l'aménagement paysager et autres projets. De la même façon, en investissant dans l'achat de livres, de cassettes et d'outils, et en participant à des présentations qui favorisent la croissance personnelle et offrent connaissances et savoir-faire, les PCI peuvent accroître de façon spectaculaire la valeur de leur « moi » et, par le fait même, le volume et la valeur de leur commerce Quixtar.

Possession d'une propriété – Principe 3 : *Le montant attribuable aux intérêts de votre paiement hypothécaire est déductible d'impôt.* Comme l'administration gouvernementale incite les gens à acheter une maison en leur offrant des déductions d'impôt, elle vous encourage à posséder votre propre commerce en vous offrant une multitude d'avantages fiscaux. Pour autant que vous mainteniez un registre exact de vos transactions, vous êtes en mesure de déduire votre espace de bureau à domicile, vos dépenses de déplacement et d'entretien automobile, votre hébergement et vos repas lors de conférences et séminaires, vos frais pour appels interurbains, et autres dépenses. En fait, être propriétaire de commerce est DE LOIN la meilleure des stratégies dont dispose le commun des mortels pour économiser de l'impôt.

Voilà ! Le parallèle est parfait entre posséder une maison et posséder un commerce. Et voici le meilleur ! Puisque vous savez intuitivement comment maximiser la valeur de votre maison, vous n'avez nul besoin d'acquérir une nouvelle compétence ou d'adopter une façon de penser innovatrice. Il vous suffit d'appliquer les trois principes précités à votre commerce Quixtar et d'enseigner aux autres à faire de même.

CHAPITRE 8

RABAIS AU CONSOMMATEUR
CONTRE RABAIS AU COMMERÇANT

Les gens font leurs achats et vont à la pêche
pour le même motif: tenter d'attraper le plus gros
poisson avec le plus petit hameçon.
— HENRY WARD BEECHER, PASTEUR

Puisque vous comprenez bien le parallèle parfait entre posséder votre maison et votre commerce Quixtar, vous devez maintenant étudier et saisir la différence entre un rabais au consommateur et un rabais au commerçant. Pour vous aider, imaginons ensemble un autre scénario de propriétaire de maison.

Claude et Johanne viennent de payer 150 000 $ pour l'achat d'une maison dans un quartier où elle côtoie des propriétés évaluées à 300 000 $. Comment sont-ils parvenus à acheter à si bas prix ? Ils ont mis en pratique une stratégie éprouvée pour acheter une maison : choisir le pire produit dans le meilleur des quartiers et le remodeler soi-même. Selon leurs calculs, un investissement de 50 000 $ en matériaux et l'investissement de leur temps pour effectuer le travail leur permettra de doubler la valeur de leur propriété en l'espace de 12 mois, une économie forcée de 100 000 $ (300 000 $, moins 150 000 $ à l'achat de la maison, plus 50 000 $ pour la rénovation).

Claude et Johanne sont des consommateurs très intelligents. Ils scrutent les journaux à la loupe à la recherche de rabais à l'achat de matériaux pour les rénovations. Ils achètent du couvre-plancher à 50 % d'escompte, du bois franc pour plancher à 90 % de rabais lors d'une liquidation de stock, et effectuent eux-mêmes les travaux de peinture. Pendant un an, et alors que les travaux se poursuivent, ils se contentent de n'utiliser qu'une chambre à coucher et une salle de bain. À la fin de l'année, leur maison est devenue une vitrine d'exposition, résultat d'un effort qui a permis aux propriétaires d'en doubler la valeur, une valeur qui atteint maintenant 300 000 $!

Mais, étant donné que Claude et Johanne sont des consommateurs intelligents et des travailleurs acharnés, le coût final des rénovations n'atteint que 30 000 $, soit une économie de 20 000 $. Le moment venu de vendre leur maison, réduiront-ils le prix exigé d'un montant identique ? Pas le moins du monde ! Ils vendront au prix du marché et empocheront les 20 000 $ additionnels, n'est-ce pas ? Lorsque les propriétaires de commerce intelligents reçoivent des rabais au commerçant, *ils ne réduisent pas leur prix, ils accroissent leurs profits !* Le montant de 20 000 $ que Claude et Johanne ont économisé à l'achat à rabais de matériaux est *un rabais au commerçant parce que cet argent est gelé dans leur propriété.*

Voilà pour les rabais au commerçant, mais qu'en est-il des rabais au consommateur ? Claude et Johanne furent en mesure de geler beaucoup d'argent dans leur maison grâce à de sages rabais au commerçant, mais malheureusement, ils ne savent pas distinguer un rabais au commerçant d'un rabais au consommateur. Ainsi, ils accourent vers tel ou tel grand magasin quand vient le temps d'acheter des biens non durables pour la maison, tout à rabais. Ils accumulent les bons de réduction pour des produits domestiques, et parcourent 60 kilomètres le week-end pour se rendre à un grand centre de magasins d'entrepôt pour y acheter leurs vêtements. En une année, ils ont acheté 20 000 $ d'articles de toutes sortes en solde à moitié prix (donc 10 000 $), pour meubler leur maison et remplir le garde-manger, et ils précisent à leurs amis qu'en achetant à 50 % de rabais, ils sont parvenus à «économiser» 10 000 $!

Mais un instant, où sont les 10 000 $ économisés grâce aux rabais au consommateur ? Gelés dans leur maison, comme les rabais au commerçant ? Non, et bien malin qui les trouverait ! En cela repose la différence entre les rabais au commerçant et les rabais au consommateur. Alors que les premiers *sont gelés*, les seconds *s'échappent par une trappe !*

Plus gros est le volume, plus gros est le rabais au commerçant

La meilleure façon pour un commerce de jouir de rabais est d'accroître son volume d'achats. Dans le domaine de la restauration, par exemple, plusieurs commerces achètent leurs biftecks d'un fournisseur unique. Toutefois, lorsque le distributeur de viande reçoit une commande d'un restaurant familial local, il s'agit peut-être de 100 filets par semaine. Si le même distributeur vend des filets à Outback, une grande chaîne américaine de grilladeries, ce chiffre pourrait grimper à 10 000 filets par semaine, expédiés dans 1 000 restaurants d'un bout à l'autre du pays. Un bifteck payé 6 $ par le propriétaire du restaurant familial pourrait coûter 3 $ à Outback.

Supposons que les deux acheteurs exigent de leurs clients 12 $ pour un bifteck. Le coût variable pour la grilladerie familiale est 6 $, et sa marge contributive 6 $, c'est exact ? D'autre part, pour Outback, le coût variable est 3 $ et la marge contributive 9 $, soit 50 % plus élevée que celle du resto familial. Puisque les rabais au commerçant sont basés sur le volume d'achats, Outback gèle dans son commerce 3 $ additionnels pour chaque bifteck vendu.

Incidemment, que fait cette dernière avec les 3 $ gagnés grâce au rabais au commerçant ? Réduit-elle de 3 $ le prix d'un bifteck servi à un client ? Non ! S'en sert-elle pour accroître ses profits ? *Bien sûr !*

Les propriétaires d'Outback ont gagné un fort rabais au commerçant en augmentant massivement leur volume d'achats, n'est-ce pas ? Selon la pensée « consommateur », il serait logique de leur suggérer une réduction des prix (et, par ricochet, des profits). Par contre, la pensée « affaires » leur a conseillé plutôt un autre choix plus intelligent : *accroître la valeur de l'expérience du client* tout en gardant les prix au même niveau (accroissant, de ce fait, les profits).

Et c'est précisément ce qu'ils ont fait, geler les montants accumulés grâce aux rabais sur le volume, tout en évitant d'utiliser cet argent. Résultat : Outback s'est hissée au rang des restaurants avec service aux tables les plus rentables du pays. En fait, Outback est tellement rentable que Warren Buffett, l'investisseur boursier le plus prospère de l'histoire, pourrait-on dire, vient d'ajouter un fort volume d'actions de cette entreprise à son porte-feuille financier, évalué à plus de 100 milliards de dollars. Si ce n'est pas là une marque de confiance à l'endroit de ce commerce, qu'est-ce qui le sera ?

Faites comme les proprios d'Outback et gardez vos profits à l'interne

Le modèle d'affaires Quixtar est identique à celui d'Outback en ce que plus le volume d'achats est élevé, plus les rabais au commerçant le sont aussi. Et, comme les proprios de ces restaurants, les PCI intelligents cherchent à accroître la valeur de leurs produits et de leur service, au lieu de réduire le prix de leurs produits.

Quiconque peut compter sur une gamme de produits telle que celle qu'offre Quixtar, assortie d'un service inégalé et d'une garantie satisfaction ou argent remis, n'a nul besoin de réduire ses prix. *Le prix Quixtar est le bon !* Votre travail n'est pas d'ergoter sur les prix, mais d'accroître votre volume d'achats afin de jouir au maximum de rabais au commerçant ! Vous gagnerez plus d'argent à accroître votre volume d'achats, comme le fait Outback. D'ailleurs, la compagnie ne se sent nullement coupable de jouir des plus gros rabais au commerçant de son industrie. En fait, elle s'en réjouit, et travaille avec ardeur à accroître davantage son chiffre d'affaires, afin d'atteindre des rabais encore plus importants et de jouir de profits toujours plus élevés !

Vous devriez faire de même. Les dirigeants de Quixtar offrent des rabais au commerçant variant entre 3 % et 25 % afin d'inciter les PCI à augmenter leur volume d'achats. Pourquoi donc se satisfaire d'un escompte de 3 %, ou de 18 %, alors que Quixtar DÉSIRE que vous obteniez un escompte de 25 % ?

C'est ici la grande différence entre la pensée « consommateur » et la pensée « propriétaire de commerce » : alors que les consommateurs pensent à acheter plus avec moins, les propriétaires de commerce pensent à accroître leur chiffre d'affaires (leur volume) pour faire plus d'argent.

Donc, quelle approche est conçue pour vous aider à réaliser vos rêves, dépenser moins d'argent en cherchant les rabais au consommateur, ou faire de l'argent en accroissant son volume et en gelant les rabais au commerçant ?

Je sais ceci : chaque année, au mois de janvier, alors que la majorité des Nord-Américains bondent les magasins à la recherche de soldes d'après Noël, des centaines de PCI Quixtar diamants s'offrent des vacances à Hawaï, toutes dépenses payées par Quixtar. Pendant le mois le plus froid de l'année, *les rabais au consommateur* vous réserveront une place en file au comptoir d'un Wal-Mart, alors que les *rabais au commerçant* vous réserveront une chaise longue sur une plage d'Hawaï, tout en admirant un coucher de soleil magnifique.

Quelle réservation préférez-vous ?
Aloha !

CHAPITRE 9

CLIENTREPRENEUR PLUS

Protégez votre atelier, et votre atelier vous protégera.
— VIEUX PROVERBE ANGLAIS

*La réalisation de ses rêves est beaucoup
plus thérapeutique que leur analyse.*
— PUBLICITÉ DES CENTRES DE VILLÉGIATURE HYATT

L e regretté Lord Kenneth Thomson, puissant magnat canadien de la presse écrite et l'un des hommes les plus riches au monde, avait la réputation d'être un pingre notoire. Pingre à quel point? Ah! Bien qu'il fût un personnage public, propriétaire de douzaines de commerces évalués à des centaines de millions de dollars, Thomson refusait qu'on le prenne en photo. Pour quelle raison? Pour acheter incognito des chaussettes, à rabais, au grand magasin situé en face de son bureau… dont il était le propriétaire! *Peut-on trouver plus pingre?*

(Le trait de caractère de Thomson nous fait peut-être sourire, mais cet homme savait faire au moins une chose bien: acheter de son propre magasin! Comme j'ai toujours dit: «Pourquoi acheter de Son-Mart alors que je peux acheter de Mon-Mart?»)

**VOUS VOUS SOUVENEZ DE L'ÉPOQUE OÙ LE SERVICE
REVÊTAIT PLUS D'IMPORTANCE QUE LE COÛT?**

Les psychiatres qualifieraient sans doute d'obsessive la passion de Thomson pour les rabais. Mais aujourd'hui, même les gens «normaux» souffrent de la même obsession. N'est pas loin l'époque où seules les personnes pauvres faisaient leurs courses dans les magasins à gros rabais. Au cours des années 50 et 60 – j'étais jeune alors –, les gens de la classe moyenne ou plus fortunée faisaient leurs emplettes dans les grands magasins, mais jamais dans un magasin à rabais, même morts! Aujourd'hui, cependant, le parc de stationnement d'un Wal-Mart compte autant de nouvelles voitures importées clinquantes et de VUS que de vieilles guimbardes.

Il y eut une époque où les gens accordaient plus d'importance à un bon service qu'aux bas prix. Tel que mentionné dans un chapitre antérieur, je me souviens du temps où les postes d'essence étaient appelés des stations-service, et cela pour de bonnes raisons. Alors que j'étais petit garçon, il était interdit aux clients de *toucher* le distributeur d'essence. Nous devions rester assis dans la voiture pendant que le préposé faisait le plein, lavait les glaces, vérifiait le niveau d'huile du moteur et la pression des pneus. Bien sûr, le consommateur payait un peu plus cher le litre en retour du service, mais cela en valait le coût, croyait-il. Aujourd'hui, toutefois, il est difficile de trouver une station-service, même si vous souffrez d'un handicap physique et que vous avez un réel besoin.

Je ne sais ce qu'il en est pour vous, mais l'époque où le slogan publicitaire le plus populaire était « Servir est notre plaisir » me manque. Je souffre la disparition de ce jour où le client avait toujours raison, où le salon de coiffure offrait un cirage de souliers et un rasage, même si vous n'aviez pas besoin d'une coupe de cheveux, où le commis de la mercerie vous connaissait par votre nom et vous informait, par téléphone, de l'arrivée des nouveaux complets printemps ou automne, où le boucher de l'épicerie du quartier vous glissait une bonne coupe de viande… et une bonne blague, où un emballeur portait vos provisions jusqu'à votre véhicule et les déposait dans le coffre, où le lait et la crème glacée étaient livrés à votre porte.

LE MESSAGE ET LE MODÈLE ONT CHANGÉ

Qu'est-il advenu de l'excellent service et du vendeur averti ? Que s'est-il produit pour parvenir à convaincre le consommateur qu'il était plus « intelligent » de pousser ses provisions à l'auto sous une averse, au lieu d'en laisser la tâche à un emballeur, tout cela pour « économiser » 50 cents sur un format de Coke 12 cannettes ?

Depuis les années 50, le *message* et le *modèle* ont changé et, conséquemment, nos valeurs ont fait de même. En quoi le message et le modèle ont-ils changé ? Commençant par les années 50, les messages culturels prédominants, communiqués aux Nord-Américains, et les modèles d'affaires qui assuraient la distribution des produits et services à la consommation ont subi tout un changement de paradigme. Arrêtons-nous un instant pour étudier pourquoi ce changement s'est produit et comment le nouveau message et le nouveau modèle ont transformé les valeurs et les habitudes d'achat des consommateurs.

Avant les années 50, les messages culturels prédominants étaient axés sur le caractère, des messages typiques tels que : « Le travail avant le loisir.», «Toute chose qui doit être faite mérite d'être bien faite.», et «La course se gagne un pas à la fois.»

Ces messages provenaient principalement de la famille et des amis. Éprouvés et pleins de sagesse, ils devaient jouer le rôle de panneaux indicateurs pour accroître notre productivité, notre prospérité et notre autosuffisance. Les motifs de nos parents, véhicules de ces messages, étaient fondés sur un amour authentique pour leurs enfants, et un souci du même ordre pour leur bonheur et leur bien-être. Non corrompus par l'affairisme, les messages étaient échangés entre «proches», d'un cœur à un autre, et livrés pour aider à parer au désastre et à voguer vers la réussite en empruntant la voie par excellence de notre voyage ici-bas.

Pendant les années 50, la télévision, nouvelle technologie, a pris d'assaut notre salle de séjour et s'est chargée de livrer les messages culturels aux enfants. Si les messages associés au caractère avaient pour motifs l'amour et un souci authentique de notre bien-être, les messages télévisés avaient pour force motrice l'argent. Alors que les motifs de nos parents étaient altruistes et rien d'autre, ceux des publicités télévisées étaient tout à fait «affaires». Les responsables de la publicité ont compris rapidement qu'il était beaucoup plus facile de vendre des produits en pinçant la corde sensible du plaisir qu'en s'adressant au caractère. D'ailleurs, la formation du caractère ne leur importait peu ou pas du tout, mais bien plutôt l'exploitation de nos zones de plaisir.

Ainsi donc, ils ont bâti leurs campagnes publicitaires autour de slogans axés sur le principe du plaisir, tels que «Vous vous sentez bien? Faites-le.», «Vous serez irrésistible aux yeux des femmes.», «C'est un gage de beauté.», et «C'est un gage de popularité.» Ainsi, chaque pause publicitaire offrait une occasion de véhiculer un autre message du même genre, absorbé sans contestation par les enfants.

AUCUNE CHANCE POUR LES MESSAGES DE NOS PARENTS

La confrontation entre les «vieux» messages et les «nouveaux» était prévisible. Par exemple, nos parents nous avertissaient des dangers reliés à l'usage du tabac (même s'ils fumaient) parce que cela était mauvais pour notre santé. C'était là un message sincère, provenant du fond du cœur et ayant pour objectif de faire de nous des citoyens plus heureux et en meilleure santé. Par contre, les publicités télévisées présentaient sous des couleurs séduisantes l'usage du tabac et nous encourageaient à nous y adonner, en associant le tabac au plaisir. C'était une publicité trompeuse n'ayant pour seul but que d'enrichir de façon insensée les propriétaires et dirigeants des réseaux de télévision, ainsi que les compagnies de tabac. Mais, pour la conscience suggestible d'un enfant, quels messages ont le plus de poids, ceux de parents vieillissants et «éternellement vieux jeu», ou ceux que livre une ravissante mannequin vedette de Madison Avenue qui affirme ne pouvoir résister aux hommes qui fument des Marlboro et utilisent la lotion après rasage Old Spice ? La vérité, c'est que dès que nous avons permis à ces publicités télévisées l'accès à notre salle de séjour, elles ont livré leurs messages mielleux, orientés vers le consommateur, n'accordant de ce fait aucune chance aux messages de nos parents de nous atteindre.

COMMENT LES VALEURS TRADITIONNELLES NORD-AMÉRICAINES ONT ÉTÉ COMPLÈTEMENT CHAMBOULÉES

Plus la popularité de la télévision grandissait, plus les messages savoureux de plaisir supplantaient les messages axés sur le caractère et, au cours des tumultueuses années 60 et 70, plusieurs de nos plus précieuses valeurs nord-américaines traditionnelles ont été complètement chamboulées : ce qui était «in» ne l'était plus, le mal est devenu bien, ce qui était méchant est devenu gentil, et la rébellion a adopté l'allure d'une tendance populaire, le «moi» a remplacé le «nous», et dépenser est devenu synonyme d'économiser. Pour nous aider à mieux comprendre le chambardement culturel majeur qui a fait irruption au milieu du 20e siècle, comparons les valeurs d'avant les années 50 à celles qui les ont supplantées par la suite :

Valeurs axées sur le caractère	*Valeurs axées sur le plaisir*
1. Faites plus d'argent que vous n'en dépensez.	Dépensez au-delà de vos moyens.
2. Économisez aujourd'hui, achetez demain.	Achetez aujourd'hui, payez plus tard.
3. Le travail avant le plaisir.	Gavez-vous de plaisir aujourd'hui, demain ne viendra peut-être jamais.
4. L'autonomie	La recevabilité
5. On n'a rien pour rien.	Le monde me doit tout.
6. Lentement mais sûrement	La richesse instantanée
7. La gratification différée	La gratification immédiate
8. Fils de ses œuvres	Il a obtenu le sien, et moi ?
9. L'autodiscipline.	Faites ce qui vous plaît.
10. Épargnez en mettant de l'argent de côté.	«Économisez» en achetant à rabais.

Mais quel lien tout cela a-t-il avec les rabais et la fixation des prix? C'est bien simple. Avec l'avènement de la télévision, les concepteurs de publicité ont mis sur pied une campagne trompeuse ayant pour but d'accroître les ventes, en manipulant vigoureusement la conscience du consommateur, l'incitant à croire qu'économiser et dépenser de l'argent étaient synonymes. Voici ce qui s'est produit.

En plus de rendre l'achat extrêmement facile, les fabricants et proprios de magasins ont commencé à nous encourager à dépenser, dans leurs magasins, un pourcentage de plus en plus grand de notre argent gagné si durement. De plus en plus de magasins se sont mis à concevoir des annonces publicitaires qui faisaient des mots «dépenser» et «économiser» des synonymes. Ils ont conçu des slogans tels que «Économies monstres», «Économisez plus», «Économisez jusqu'à 70%», «Économisez grâce à nos bas prix de tous les jours», «Achetez directement du fabricant et économisez», «Économisez 100$ à l'achat de deux...». Les résultats de recherches en marketing révèlent que les deux mots ayant l'impact le plus mesurable et le plus radical sur les ventes sont «économiser» et «gratuit», deux termes qui culminent, bien sûr, dans le slogan commercial ultime: «Obtenez-en un gratuit... et économisez!»

En d'autres mots, puisque la télévision nous a reprogrammés à penser «consommation» au lieu de «caractère», la majorité des Nord-Américains croient vraiment qu'ils «économisent» en achetant à rabais. Par conséquent, bien qu'ils possèdent un grand nombre de bidules inutiles, dont ils n'ont nullement besoin et qu'ils utilisent rarement, ils comptent peu ou aucune somme en épargne ou investissement, sinon l'équité de leur maison. Que tout cela est triste, inutile, et *si facile à éviter!*

COMMENT LE MESSAGE A DONNÉ FORME AU MODÈLE

Le message savoureux de plaisir qui suggère que les gens peuvent «économiser» en achetant à rabais a non seulement transformé le consommateur, mais aussi les modèles d'affaires responsables de la distribution de produits et services à ces mêmes consommateurs assoiffés de rabais. Une demande de plus en plus grande pour des escomptes a tout naturellement donné naissance à de plus en plus de magasins à rabais. Puisque la définition du mot «prix» est «ce que vous devez céder pour obtenir ce que vous désirez», ces magasins furent contraints de laisser tomber le service aimable et le bel environnement en échange de bas prix pour leurs produits.

Par exemple, lorsque je fréquentais l'école secondaire, j'avais pour habitude de visiter la quincaillerie ACE locale. La moitié avant du magasin, réservée aux clients, avait un plancher recouvert d'un linoléum tout propre, des étagères à hauteur d'épaules, un éclairage tamisé, et des comptoirs impeccables de propreté. Si le propriétaire ne parvenait pas à trouver un produit spécifique, il se rendait dans la partie entrepôt du magasin en franchissant une porte portant l'inscription : EMPLOYÉS SEULEMENT ! Contrairement à la partie avant, les planchers de l'entrepôt étaient en béton, des étagères jusqu'au plafond étaient bondées de boîtes mi-pleines couvertes de poussière, les conduits électriques et la tuyauterie étaient à découvert, et les murs de blocs de béton étaient dénudés de peinture. Puisque l'entrepôt était à l'état brut et non fini, l'accès n'était réservé qu'aux employés, et la partie la plus belle du magasin aux clients.

Mais plus la demande pour les rabais augmentait, plus l'industrie de la quincaillerie réagit en transformant tout l'espace magasin en entrepôt, le nouveau modèle d'affaires ; Home Dépôt venait de naître. Ce nouveau modèle sortait l'entrepôt de l'ombre et le poussait à l'avant-plan, attirant ainsi encore plus de clients, des consommateurs par eux-mêmes convaincus que les meilleurs produits et les plus bas prix étaient, de toute façon, cachés dans l'entrepôt.

Plus le consommateur exige d'« économiser » en achetant à rabais, plus les modèles d'affaires répondent en construisant des édifices de plus en plus laids et gros, et en embauchant un nombre plus restreint de commis, rémunérés au salaire minimum, qui ne connaissent rien aux produits, n'aiment pas leur boulot, et se fichent éperdument que vos besoins soient satisfaits ou non (sauf pour Home Dépôt qui, je dois l'admettre, remplit ses magasins d'un grand nombre de commis avisés, toujours prêts à aider). Aujourd'hui, pour un employé, le client est une nuisance qu'il doit ignorer ou éviter jusqu'à la prochaine pause cigarette, et le client n'est plus celui « qui a toujours raison ». Au cours des 50 dernières années, le message et le modèle ont changé du « service avec le sourire » au « libre-service avec un froncement de sourcils ».

Bienvenue à l'ère des gros escomptes !

L'OCCASION FRAPPE À LA PORTE

Aujourd'hui, la demande obsessive pour des escomptes a contraint plusieurs compagnies à adopter un modèle d'affaires différent. De plus en plus, « Des bas prix de tous les jours » gagne du terrain sur « Servir est notre plaisir ». La conséquence ? L'hystérie du rabais a transformé le magasinage d'une activité agréable en une corvée que les gens tentent d'éviter à tout prix !

Écoutez ! C'est le bruit d'une occasion d'affaires qui frappe à la porte !

En fait, la forte demande pour des escomptes est plutôt une bénédiction déguisée. Les gens sont fatigués de traiter avec des commis, bourrus et sans sourire, qui ne trouvent rien et ignorent les prix. Ils en ont ras le bol des aires de stationnement encombrées et des interminables files d'attente au comptoir caisse, et de retourner des articles et d'entendre le commis leur dire : « Toute vente est finale. » ou « Nous pouvons vous remettre une note de crédit mais pas votre argent parce que vous avez oublié votre reçu. » Les gens en ont marre de demander l'avis d'un commis qui leur réplique : « Je n'en sais rien. Après tout, je ne suis qu'un employé de magasin. » En d'autres mots, les gens en ont assez du nouveau message et du nouveau modèle d'affaires. Ils désirent désespérément le retour en force des messages axés sur le caractère et des modèles d'affaires dominants, visant principalement la qualité et le service.

Mais, un instant ! Le son semblable à celui d'un cheval au galop, c'est Quixtar qui arrive à la rescousse !

En effet, Quixtar est parfaitement positionné pour secourir les consommateurs frustrés et tendus à cause des désavantages de l'hystérie du rabais. Je suis persuadé qu'aujourd'hui, plus que jamais au cours des 50 dernières années, les consommateurs sont ouverts à d'autres méthodes de magasinage qui leur épargnent temps, effort et stress, tout en leur offrant des produits de qualité à des prix raisonnables et équitables. De même, je suis convaincu qu'une économie mondiale stagnante, et le penchant des grandes sociétés nord-américaines à la réduction des effectifs et à l'élimination des régimes de retraite, incitent de plus en plus de gens à explorer les occasions d'être propriétaire de leur propre commerce. Considérons comment le modèle d'affaires Quixtar offre deux occasions d'affaires à forte demande en une : une *occasion de magasinage* pour consommateurs lassés et une *occasion d'affaires* pour employés insatisfaits et propriétaires de commerce traditionnel désillusionnés. Abordons d'abord brièvement l'occasion de magasinage.

L'OCCASION DE SHOPPING QUIXTAR
ET LES RABAIS AU CONSOMMATEUR

Au chapitre précédent, nous avons considéré la différence entre le rabais au consommateur et le rabais au commerçant. Vous

avez appris que, bien que les *rabais au consommateur* ne leur permettent pas réellement d'«économiser», ils leur permettent d'acheter davantage avec moins d'argent. Par contre, les *rabais au commerçant* permettent aux gens de faire de l'argent parce que les
économies sont gelées dans leur commerce.

Lorsque vous parlez aux gens de l'*occasion de magasinage*
Quixtar, vous voudrez sûrement leur expliquer les intéressants
rabais au consommateur qu'offre Quixtar, puisque les consommateurs désirent savoir comment en avoir plus en dépensant moins.
Par ailleurs, si vous leur parlez de l'*occasion d'affaires* Quixtar, vous
vous concentrerez plutôt sur les rabais au commerçant, puisque les
gens d'affaires désirent savoir comment on fait de l'argent.

Parlons d'abord des rabais au consommateur qu'offre l'occasion de shopping Quixtar. J'aborderai le sujet en vous disant que
mes conférences devant des auditoires Quixtar, aux États-Unis et
ailleurs, m'offrent de nombreuses occasions de contacts avec de
nouveaux PCI et associés potentiels enthousiastes. Invariablement,
durant l'un de ces tête-à-tête, quelqu'un me dira qu'il souhaite que
Quixtar se transforme en un club d'achat à rabais, ce qui «inci-
terait tout le monde à vouloir s'y joindre».

Ce commentaire me devint tellement familier que je décidai
que le moment était venu d'effectuer certaines recherches. Au lieu
de présumer que les prix dans les magasins à escompte étaient
plus bas que ceux de Quixtar, j'entrepris de me rendre au Publix
local, un des magasins de cette grande chaîne de supermarchés qui
annonce constamment des bas prix, afin de comparer leurs prix
avec ceux de trois produits porte-bannière Quixtar : le détergent
SA8, le nettoyant tout-usage L.O.C. et les suppléments alimen-
taires Nutrilite.

J'avais pour premier défi de trouver des produits de marque populaire dont la qualité était comparable à ceux de Quixtar. Bien sûr,
Publix offre des douzaines de marques de produits pour la lessive, de
nettoyants domestiques, et de vitamines. Toutefois, je ne pus trouver
aucun détergent de marque renommée à formule concentrée *et* biodégradable. Quant aux nettoyants domestiques, même si plusieurs
offraient une formule concentrée, aucun n'était biodégradable, et la
dose de vitamines Double X de Nutrilite était 16 fois plus élevée que
celle d'une bouteille de Centrum, et de 7 fois plus élevée pour les
minéraux. Ce qui signifie qu'au lieu de comparer le prix «d'une
pomme avec une pomme», je comparais le prix des pommettes
Centrum à celui des pommes délicieuses Quixtar.

En dépit de la disparité quant à la qualité et au respect de
l'environnement, j'ai découvert que le prix du SA8 et du L.O.C.

était favorablement comparable au prix « rabais au membre Publix » de toutes les marques populaires, selon leur catégorie respective. Tenant compte du facteur concentration du produit, l'écart entre le prix du SA8, du L.O.C. et celui des produits homologues Publix de marque renommée était minime et, compte tenu des facteurs qualité, efficacité et respect de l'environnement, les produits Quixtar constituaient un bien meilleur achat. Le coût des produits Nutrilite était plus élevé que celui des produits Centrum, mais puisque le client devait consommer entre 5 et 16 fois plus de Centrum pour égaler la dose de vitamines et de minéraux du Double X, le coût plus élevé du Nutrilite était plus que justifié.

En guise de conclusion, lorsqu'il s'agit de comparer prix à rabais, produit et qualité, les produits Quixtar se comparent à tout produit qu'offre le marché quant au prix et à la valeur. Voilà pourquoi je soutiens que le prix Quixtar est le bon ! C'est un fait. Par contre, ce sont les valeurs intangibles qui ajoutent le lustre à l'occasion de magasinage Quixtar. Vu que le prix est « ce que vous devez céder pour obtenir ce que vous désirez », arrêtez-vous à ces *valeurs intangibles ajoutées à l'occasion de magasinage Quixtar* : pas de bouchon de circulation, pas de file d'attente au comptoir caisse, et pas de commis rémunérés au salaire minimum et non motivés. Quixtar offre aux consommateurs la passation de commandes sans embêtement, par téléphone ou en ligne, la livraison à domicile, la satisfaction garantie ou argent remis sans discussion, et le réapprovisionnement automatique personnalisé, à partir d'un site Internet sécurisé et riche en contenu, dont des milliers de pages d'information sur les produits et d'analyse de besoins. Personne n'offre rien de mieux.

Dorénavant, aux gens qui me diront que « Quixtar devrait se transformer en magasin à rabais afin d'inciter tout le monde à s'y joindre », je répondrai : « Quixtar est un magasin à rabais, *axé sur la qualité*, qui livre ses produits à domicile. Alors, pourquoi Quixtar imiterait-elle le modèle d'affaires de Wal-Mart, c'est plutôt à Wal-Mart de le faire ! »

SACHEZ QUAND EMPLOYER LE LANGAGE QUI CONVIENT À LA PENSÉE « CONSOMMATEUR »

D'accord, nous venons de déterminer que dès lors que l'on tient compte des facteurs qualité et concentration du produit, le prix des produits Quixtar se compare avantageusement à tout ce qu'offre le marché, quel que soit l'endroit. Mais malheureusement, certaines personnes sont tellement programmées à penser en consommateurs qu'elles sont incapables de s'éloigner de la mentalité «acheter intelligemment équivaut à acheter à bas prix». En d'autres mots, aussi irréfutable qu'en soit la preuve, certaines personnes super avides de rabais sont sourdes à vos paroles parce que leurs oreilles sont fermées à tout message sauf: «Le consommateur intelligent qui achète à rabais *économise!*» Dans une telle situation, optez pour le vieil axiome: «Vous êtes à Rome? Faites ce que font les Romains!» Si les gens ne comprennent rien d'autre que «rabais» et «bonnes affaires», alors dites-leur ce qu'ils désirent entendre, en attirant leur attention sur les formidables rabais et excellentes bonnes affaires qu'offre Quixtar!

Expliquez-leur comment les consommateurs peuvent obtenir des rabais immédiats en devenant des membres Quixtar, en ne manquant pas de leur montrer l'accès à la section «Bonnes aubaines» du site Quixtar.com. Les personnes super avides de rabais raffoleront de la section «liquidation et spécialités». De plus, plusieurs des partenaires commerciaux offrent régulièrement des rabais, entre autres sur les films, la musique, les téléphones sans fil et les cellulaires. Et si les rabais et les bonnes aubaines ne suffisaient pas, alors dirigez votre ami avide de rabais vers la vente aux enchères, où les consommateurs peuvent fixer eux-mêmes le prix de produits offerts par les partenaires commerciaux participants.

Si un associé potentiel ne parvient pas à échapper à la pensée «consommateur», c'est sa décision. Toutefois, ne laissez pas leur «dépendance» aux rabais vous voler vos rêves. Sachez toujours distinguer *l'occasion de magasinage Quixtar, pour le consommateur*, de *l'occasion d'affaires Quixtar, pour le clientrepreneur*. D'une part, le consommateur avide d'escomptes ne peut espérer guère plus qu'atteindre le seuil de la pauvreté plus lentement. D'autre part, le clientrepreneur sérieux ne peut espérer rien de moins que s'enrichir plus rapidement.

L'OCCASION D'AFFAIRES QUIXTAR
ET LES RABAIS AU COMMERÇANT

Oui, l'occasion de shopping Quixtar offre des rabais au consommateur aussi généreux que tout entrepôt Gros-Mart ou Faibles-Prix, et oui, il n'y a rien de mal à discuter de rabais avec ceux qui ne peuvent échapper à la pensée «consommateur». Cependant, lorsque vous parlez de rabais, rappelez-vous qu'ils peuvent satisfaire les besoins temporaires de certains consommateurs-robots, mais n'oubliez jamais la première règle du propriétaire de commerce: *Personne ne s'est jamais enrichi en achetant à rabais. Par contre,*

PLUSIEURS y sont parvenus en offrant des produits et services en forte demande à des prix raisonnables et équitables.

Par exemple, je ne crois pas avoir un jour acheté un produit Microsoft à rabais. D'ailleurs, il y a deux ans, j'ai acheté Microsoft Office au prix régulier. Je ne me suis pas évertué alors à courir les magasins, car je savais que le prix du produit varierait très peu, qu'il s'agisse d'un achat dans un Costco ou en ligne. En dépit du fait que la plupart des consommateurs sont très friands de rabais, Bill Gates persiste à vendre ses produits au prix régulier. Le résultat? Bill Gates est l'homme le plus riche au monde. Que lui importe les rabais au consommateur, il est TRÈS préoccupé par les rabais au commerçant parce qu'ils sont sources de profits. Fin de la discussion!

L'OCCASION DE MAGASINAGE ET LES RABAIS AU COMMERÇANT

Bon, nous avons convenu que les produits uniques à Quixtar, de pair avec les formules concentrées et biodégradables, les excellents rabais au consommateur et les nombreuses valeurs intangibles, assurent manifestement la supériorité de l'occasion de magasinage Quixtar sur le modèle d'affaires «magasin à rabais». Effectivement, du point de vue du consommateur, Quixtar fait bande à part.

Le moment est venu d'étudier l'occasion d'affaires Quixtar par rapport aux rabais au commerçant. Vous serez ravi de savoir que le prix des produits Quixtar est le bon à la fois pour le consommateur et pour le propriétaire de commerce. En effet, le prix des produits Quixtar est *fixé pour en favoriser la vente*, c'est là une bonne nouvelle pour le consommateur; et *fixé pour générer des profits*, c'est là une excellente nouvelle pour le propriétaire de commerce. Alors, comme PCI, vous devriez être davantage préoccupé par l'accroissement de vos profits que par la réduction des prix. S'arrêter à la réduction des prix, c'est adopter la pensée «consommateur» et, comme nous l'avons constaté, les prix Quixtar sont raisonnables, équitables, et souvent plus bas que le prix exigé pour des produits comparables dans les magasins à gros escomptes.

Comme personne d'affaires, il vous incombe d'amener les propriétaires de commerce potentiels à troquer leur façon de penser «consommateur» à la faveur de celle d'un propriétaire de commerce. Vous avez choisi de devenir un propriétaire de commerce? Vous devrez dire adieu à la pensée «consommateur» et vous concentrer à apprendre comment geler l'argent dans votre commerce, en accroissant le nombre et le taux de vos rabais au commerçant, et la seule façon d'y parvenir est d'accroître votre volume.

DE CLIENTREPRENEUR À CLIENTREPRENEUR PLUS

Dans mon livre, *Place aux clientrepreneurs!*, j'ai affirmé : « *Vous désirez faire plus d'argent ? Pensez comme un propriétaire de magasin.* » Oui, ceux qui aspirent sérieusement à la libre gestion de leur temps et à la liberté financière doivent penser comme un propriétaire de magasin, celui qui *fait de l'argent*, et non comme les consommateurs qui visitent le magasin, ceux qui *dépensent de l'argent*.

Si vous avez pour objectif une plus grande richesse, vous devez faire fructifier votre commerce, n'est-ce pas ? Pour y parvenir, il existe foncièrement deux manières. L'une d'elles est d'accroître votre volume en agrandissant votre petit magasin jusqu'à ce qu'il devienne GIGANTESQUE. Vous parviendrez ainsi à augmenter vos profits en vendant plus, puisque vous profiterez de rabais au commerçant plus élevés (plus vous achetez, plus le rabais au commerçant est élevé).

Un excellent exemple de la croissance de votre commerce selon l'approche du magasin gigantesque est la librairie The Tattered Cover, à Denver, au Colorado. Au cours des 25 dernières années, le magasin original a été l'objet de trois projets d'agrandissement jusqu'à ce qu'il devienne la plus grande librairie du pays. Aujourd'hui, The Tattered Cover compte près de 500 000 titres en stock, étalés sur quatre étages, sans oublier un café-restaurant et un restaurant à l'étage supérieur. Sans l'ombre d'un doute, The Tattered Cover est l'histoire d'une réussite, et son propriétaire est un homme très riche.

Cependant, le concept du magasin unique et gigantesque a ses limites. Qu'importe sa grosseur, tôt ou tard, le magasin ne pourra servir *plus de clients que ne compte sa région*. Au fil des ans, certains propriétaires de commerce ont surmonté cette limitation du modèle d'affaires « magasin unique et gigantesque » en ouvrant les portes de plusieurs magasins en différents endroits. Par exemple, au lieu de se contenter d'une ou de deux immenses librairies régionales, Barnes & Nobles a choisi d'implanter une chaîne de magasins d'un bout à l'autre du pays. Le plus gros magasin Barnes & Nobles est beaucoup plus petit que The Tattered Cover, mais le volume du premier est beaucoup plus élevé que le second, parce que les nombreux magasins permettent à Barnes & Nobles de desservir des millions de consommateurs de plus, dans des centaines de régions du pays.

Le même principe s'applique à votre commerce Quixtar. Pour augmenter vos profits, vous devez accroître votre volume, et il est beaucoup plus facile d'y parvenir en ouvrant plusieurs magasins, dans votre pays et ailleurs, qu'en vous concentrant sur la construction d'un immense magasin unique. La clientreprise, c'est essentiellement: « Vous désirez faire plus d'argent? Pensez comme un propriétaire de magasin.» Par contre, pour maximiser l'occasion d'affaires Quixtar, vous devez penser en fonction d'une chaîne de magasins, puisque ce concept permet de multiplier par 1 000 le volume d'un magasin unique. C'est pourquoi je dis: *« Pour maximiser vos gains, pensez en fonction de la chaîne de magasins.»* En agissant ainsi, vous n'êtes plus un clientrepreneur, mais un clientrepreneur plus! Et à ce titre, les turboréacteurs de l'occasion d'affaires Quixtar se mettent à pousser à pleins gaz!

LE FRANCHISAGE : LES GAINS D'UNE CHAÎNE DE MAGASINS SANS DOULEUR

Assurément, penser et agir en fonction du concept de « la chaîne » est nécessaire à la croissance de votre commerce. Cependant, des revenus accrus ne garantissent pas forcément des profits accrus. Kmart, par exemple, génère des revenus plus élevés aujourd'hui qu'il y a 10 ans, époque à laquelle la compagnie faisait des profits, alors qu'aujourd'hui elle perd de l'argent à pleins seaux. Comment cela se peut-il? Les dépenses! Alors que les revenus bruts de Kmart augmentaient au cours des années 90, le taux de croissance des dépenses a supplanté celui des revenus, forçant la compagnie à afficher une perte trimestre après trimestre.

Les dépenses énormes sont un des aspects négatifs du modèle d'affaires «chaîne de magasins». Pour assurer leur croissance, les chaînes de commerces doivent accroître leur stock, ajouter des magasins, embaucher plus de personnel, négocier plus d'emprunts et, au terme d'un trimestre, les dépenses sont souvent plus élevées que les revenus. (Lorsque les dépenses excèdent les revenus, vous devez redresser rapidement le bateau ou le considérer comme perdu parce que les compagnies qui n'engrangent pas de profits ne font pas long feu.)

Le modèle d'affaires Quixtar a été conçu pour éviter la douleur à laquelle font face les chaînes de magasins: des coûts fixes et variables énormes. Les frais de démarrage pour un PCI Quixtar sont ridiculement bas, surtout si nous nous arrêtons au potentiel énorme de l'occasion d'affaires. De plus, comme nous l'avons appris au chapitre cinq, les coûts variables et fixes associés à l'exploitation d'un commerce Quixtar sont non seulement minimes, mais ils peuvent LE DEMEURER même lorsque les revenus bruts continuent de s'accroître à pas de géant.

De par leur nature, les chaînes de magasins doivent absorber d'ÉNORMES dépenses avant même d'espérer générer plus de revenus. La sortie de fonds requise et le risque financier encouru font frémir. Par contre, le modèle d'affaires Quixtar adopte ce que le concept de la chaîne de commerces offre de meilleur, et laisse le reste pour compte. En d'autres mots, *les PCI Quixtar peuvent profiter des gains d'une chaîne de magasins sans en souffrir la douleur qui lui est associée!* Comment? En exploitant leur commerce comme une *franchise personnelle* plus que comme un magasin d'une chaîne.

Le concept du franchisage se veut une amélioration ingénieuse du modèle d'affaires «chaîne de magasins» pour la simple raison que le franchisage *encourage l'expansion et la croissance pour une fraction du coût.* Le modèle de franchise personnelle Quixtar pousse le franchisage beaucoup plus loin. Pourquoi? Parce que l'investissement requis au démarrage, ainsi que les coûts variables et fixes récurrents, pour exploiter un commerce Quixtar rentable sont ridiculement bas. De plus, tout territoire est libre d'accès (80 pays, et ce n'est pas fini), la croissance est exponentielle et non linéaire comme celle d'une franchise traditionnelle, le besoin de personnel est absent et, non le moindre, les partenaires d'affaires ayant réussi souhaitent que vous surpassiez leur performance.

Aucun autre modèle d'affaires n'offre de telles caractéristiques, EN PLUS de l'avantage de pouvoir bâtir un commerce en y travaillant à temps partiel, les soirs et les week-ends, tout en conservant un emploi à plein temps. Le concept de la chaîne de magasins ne vous en offre certainement pas autant, ou encore celui du franchisage.

Toutefois, la franchise personnelle vous offre tous ces avantages, en plus d'un potentiel de revenu virtuellement illimité. Commencez-vous à saisir ce que signifie «clientrepreneur plus»? La meilleure façon de résumer ces avantages est de conclure comme suit:

> *Vous désirez faire plus d'argent?*
> *Pensez comme un propriétaire de magasin.*
> *Pour maximiser vos gains,*
> *pensez en fonction d'une chaîne de magasins.*
> *Mais quiconque veux être vraiment sage*
> *pensera en fonction d'une franchise personnelle!*

CHAPITRE 10

L'OBJECTIF DES AFFAIRES

*Tout compte fait, une vie sans but n'est pas une vie réussie,
et il est difficile de connaître une vie réussie
sans un travail significatif.*
— JIM COLLINS, AUTEUR DE *GOOD TO GREAT*

Lorsque, en 1988, Buddy Post, ancien travailleur de fêtes foraines, gagna 16,2 millions de dollars à la loterie de Pennsylvanie, il crut qu'il en avait fini avec ses problèmes.
Ah oui, Buddy?

Au cours des mois qui suivirent, Post fut condamné pour assaut, sa sixième femme le quitta, son frère tenta de le tuer, et la propriétaire de son immeuble s'accapara le tiers de sa fortune des suites d'une poursuite en justice. Si c'est là le résultat de la bonne veine, quel sera celui de la déveine?

Quelle leçon nous enseigne la saga de Buddy Post? En premier lieu, elle nous rappelle que l'argent ne peut acheter le bonheur. D'ailleurs, nous connaissons tous des personnes plus ou moins fortunées qui sont malheureuses. La richesse n'élimine aucun état de confusion émotionnelle, et il est même fort probable que le nouveau riche verra sa fortune fondre, à vue d'œil, à la recherche du bonheur dans les mauvaises choses et aux mauvais endroits.

LES MOTIFS, ET NON L'ARGENT, SONT RESPONSABLES DE LA MISÈRE

Je crois que les histoires de personnes pauvres devenues riches réjouissent beaucoup de gens, parce qu'elles confirment leur conception erronée que l'argent est la source de tous les maux, une façon de penser qui explique les expressions : «Je ne désire pas posséder beaucoup d'argent parce que je veux éviter tout matérialisme.», ou «Les riches sont hautains; je ne veux pas renier mes origines.», ou «Plus votre compte de banque est renfloué, plus vos problèmes sont grands.», ou «Les meilleures choses de la vie sont gratuites. Donc, avoir plus ou moins d'argent ne m'importe peu.», ou «L'appétit insatiable du riche pour l'argent l'empêche de vivre réellement heureux.», ou encore, «Je ne veux pas faire de l'argent aux dépends de mes amis.»

Par le passé, de tels commentaires faisaient naître en moi de la colère, parce que je savais que leurs auteurs ne font que rationaliser l'anémie de leur valeur nette. Mais aujourd'hui, au lieu d'attiser en moi la colère, ces commentaires m'attristent. Oui, je suis triste de constater combien de gens, porteurs d'un si grand potentiel, laissent tomber quant à eux-mêmes et abandonnent leurs rêves.

L'argent ne mène pas irrévocablement au matérialisme, pas plus que la pauvreté pousse au crime. Je connais de nombreux riches qui sont à la fois humbles et non matérialistes, et aussi heureux que cela est possible. L'argent n'est pas cause de misère. En fait, il peut y remédier s'il est objet d'un bon usage. Nous devons convenir que la construction d'églises et d'hôpitaux pour enfants, sans but lucratif, serait impossible sans l'apport de dons. En effet, tout pasteur ou président d'organisme à but non lucratif confirmera que 80 à 90 % des fonds de construction et d'entretien de leur édifice proviennent d'un groupe restreint de donateurs.

Par exemple, un des mes amis fréquente une église méthodiste, dans la ville de Tampa, en Floride. La congrégation a récemment érigé, au coût de 3,2 millions de dollars, un magnifique édifice pour y accueillir quelque 900 fidèles. Une répartition à part égale de ce montant aurait exigé une contribution d'environ 3 500 $ de chaque famille, mais la répartition des dons fut comme suit: 12 familles contribuèrent à 2,9 millions, environ 80 donateurs ajoutèrent 200 000 $, et 100 autres familles environ contribuèrent à 50 000 $. Tout compte fait, la collecte de fonds ne suffit pas à atteindre les 3,2 millions de dollars requis; il manquait 50 000 $. Ainsi, à combien contribuèrent les 700 autres familles? À rien du tout!

Et voilà pour la théorie selon laquelle l'argent corrompt les gens et en fait des personnes âpres au gain. En fait, la preuve démontre que le contraire est plutôt vrai: ce n'est pas l'argent mais le MANQUE D'ARGENT qui rend les gens indigents et âpres au gain. En vérité, si plus de gens avaient plus d'argent, le monde compterait assurément plus de personnes heureuses, accomplies et généreuses. Les *motifs*, et non l'argent, sont sources de misère. D'une part, ni pauvreté ni richesse n'altéreront le caractère égocentrique d'une personne. Au contraire, la richesse pourrait aggraver le trait de caractère négatif de ce pauvre individu. D'autre part, elle accentuera vraisemblablement la douceur, la tempérance et la générosité d'une personne qui, pauvre, en faisait déjà montre. L'argent ne corrompt pas les gens. C'est une loupe magique qui amplifie leur caractère et leurs valeurs.

LA DIFFÉRENCE ENTRE AVIDITÉ ET BESOIN

L'opposition au monde des affaires démontrée par tant de Nord-Américains me désarme toujours. Chaque jour m'appelle à traiter avec ce sentiment entretenu par certains de mes collègues, professeurs d'université.

Si vous aviez été témoin comment mes collègues à tendance gauchiste se sont allumés lorsque l'affaire Enron a fait la une des journaux ; il leur semblait vivre au paradis des goinfres. Ils raillèrent contre les grandes firmes, les réductions d'impôt proposées par le Président Bush, et les politiques de déréglementation de l'administration fédérale. Par contre, lorsque je soulignai que les universités survivent grâce à ces mêmes impôts et aux frais d'admission, et que plus les grandes entreprises font de l'argent plus les professeurs peuvent espérer une hausse salariale, ils mirent peu de temps à passer à un autre sujet.

Toutefois, les affaires scandaleuses d'Enron et de Tyco donnent lieu à deux questions fort intéressantes :

1. Quelle est la différence entre avidité et besoin ?
2. Le monde des affaires a-t-il d'autres objectifs que celui de faire des profits ?

En réponse à la première question, le Petit Robert définit l'avidité comme « un désir ardent et immodéré de quelque chose, la recherche immodérée du profit ». Je ne suis pas d'accord avec ces définitions. Je crois plutôt que l'avidité est une question d'éthique.

Par exemple, Bill Gates et Warren Buffett sont de bons amis ; ils sont aussi les deux hommes les plus riches de la terre. Gates et Buffett ne se sont pas enrichis de centaines de milliards de dollars à cause d'un faible désir de posséder de l'argent. Après tout, ce sont des hommes d'affaires ! Leur but est d'en faire toujours plus… et c'est tant mieux. Sont-ils motivés et prospères ? Oui ! Avides ? Non ! Pourquoi ? Parce qu'ils offrent aux gens des produits et services de grande valeur à des prix raisonnables et équitables, tout en exploitant leur commerce avec intégrité et selon une bonne éthique. Je ne soutiens nullement que Gates et Buffett sont parfaits. En fait, leur rigueur d'hommes d'affaires leur a valu de commettre des erreurs. Manquent-ils pour autant de bonnes valeurs éthiques et de scrupule ? Selon mon estimation, non.

Comparons Gates et Buffett à Dennis Kozlowski, ancien chef de la direction de Tyco. Koslowski fut accusé de piller Tyco de centaines de millions de dollars, résultat de prêts malveillants octroyés à lui-même et à 41 employés de la compagnie. Il a aussi dépensé de façon illégale 100 millions de dollars environ à l'achat de maisons pour lui-même et des cadres, en plus de dizaines de millions pour l'achat d'effets personnels dont : 15 000 $ pour un porte-parapluies, 6 400 $ pour un rideau de douche, et 97 000 $ pour des fleurs coupées pour décorer son appartement de 2,5 millions dans le Trump Tower de Manhattan. Mais Kozlowski ne s'est pas arrêté là. Sous sa direction, Tyco a volontairement omis de payer des dizaines de millions de dollars en impôts en choisissant de se constituer en corporation aux Bermudes, même si la compagnie devait une forte part de ses profits aux consommateurs américains. En d'autres termes, Kozlowski était tellement minable qu'alors qu'il volait Tyco, il concoctait des façons pour Tyco de voler le gouvernement. C'est ce que j'appelle de l'AVIDITÉ !

Comme Gates et Buffett, Kozlowski est animé d'un « désir excessif de richesse ». Toutefois, son avidité ne provient pas de l'intensité de son désir, mais de sa malhonnêteté et de son manque d'intégrité. L'homme est un escroc ! Son avidité s'explique par un ardent désir d'argent qui le poussa à tout faire pour l'obtenir : vol, mensonge, manœuvres frauduleuses, tricherie, connivence, et falsification. Elle s'explique aussi par le fait qu'il était prêt à tout pour se remplir les poches, sans égard à ce qu'il faisait ou au mal qu'il causait. « Jetez ce pauvre type en prison, et jetez la clé de sa cellule ! »

FAIRE UN PROFIT ET FAIRE UNE DIFFÉRENCE

Répondons maintenant à l'autre question : « Le monde des affaires a-t-il d'autres buts que celui de faire des profits ? » C'est sans doute l'un de ses objectifs, mais pas le seul. Selon moi, le but du monde des affaires compte deux volets : *faire des profits et faire une différence positive dans la vie des gens.*

Pourquoi accorderais-je une importance égale, ou presque, aux deux volets ? La meilleure façon de répondre à cette question est d'emprunter l'histoire racontée par Stephen Covey dans son livre à succès *Les sept habitudes de ceux qui réalisent tout ce qu'ils entreprennent.* Covey fait valoir qu'outre une question d'argent, le succès est associé à la *signification* de ce que vous faites. Pour prouver son point, il évoque l'exemple d'un emploi auquel est rattaché un salaire d'un million de dollars annuellement. Cependant, l'emploi consiste à creuser un trou l'avant-midi, à le remplir l'après-midi, et à répéter cette tâche six jours semaine pendant 40 ans. Accepteriez-vous cet emploi ?

Ah ! j'aimerais bien gagner un million par année. Qu'en est-il de vous ? Par contre, pas question pour moi d'exécuter une tâche sans importance huit heures par jour, six jours par semaine, jour après jour et année après année, de 25 jusqu'à 65 ans, quelle que soit la somme d'argent promise. Jamais au grand jamais! Vous le feriez?

La façon de faire de l'argent est plus importante que la somme acquise

Je sais que la vie est autre chose que l'argent, mais ce dernier en constitue un élément important, et nous devons admettre que l'argent a le pouvoir de faire plus de bien que de mal pour nous, notre famille et notre collectivité.

Mais je serai le premier à concéder que la FAÇON de faire de l'argent est PLUS IMPORTANTE que la SOMME acquise. Par exemple, des milliers de barons de la drogue du monde entier font BEAUCOUP PLUS d'argent que le plus riche des PCI Quixtar. La lecture de journaux m'a révélé que les caïds de la drogue exploitent leur commerce illégal comme le font les chefs de direction de commerces de bonne réputation. En effet, ils choisissent des directeurs pour leur conseil d'administration, mettent sur pied différents services, et coordonnent les activités de commercialisation et de distribution. Ils contrôlent leurs dépenses pour maximiser leurs profits, réinvestissent dans leur commerce, mettent au point des stratégies, et préparent des plans d'action. En bref, de nombreux barons de la drogue exploitent leur entreprise illégale comme un commerce et, ce faisant, empochent d'énormes profits. Cependant, font-ils une différence positive dans la vie des gens? *Bien sûr que non!* Leurs produits et leurs «équipes de gestion» détruisent des vies et terrorisent des collectivités, et c'est là la preuve, au bout du compte, que faire une différence est souvent PLUS important que faire des profits.

Formé à croire que faire des profits et faire une différence étaient incompatibles

Je dois admettre que je n'ai pas toujours cru que quelqu'un pouvait à la fois faire des profits et faire une différence positive dans la vie des gens. Au cours des années 60 et 70, alors que je fréquentais l'école secondaire et l'université, je croyais que faire des profits et faire une différence était complètement opposés l'un à l'autre, et que choisir un excluait l'autre. Comme de nombreux jeunes de l'époque, je souscris aux mythes un peu ridicules et simplifiés concernant les affaires, l'argent et les classes sociales. Par exemple, puisque je pensais que les riches s'enrichissaient en exploitant les pauvres, je conclus dans mon esprit que les riches étaient méchants et les pauvres de bonnes personnes. Je croyais que la vie des riches était artificielle et fausse, alors que celle des pauvres était authentique et vraie. Je minimisais l'importance de l'argent, et me convainquis que la pauvreté était noble. Je raisonnais ainsi : puisque seuls les gens radins et égoïstes choisissaient de faire de l'argent, alors que moi j'étais bon et généreux, je devais choisir de laisser tomber l'idée de faire de l'argent à la faveur de faire une différence dans la vie des gens.

Ainsi donc, âgé de 21 ans et armé d'optimisme et d'idéalisme, je joignis les rangs de VISTA (acronyme anglais qui signifie volontaires au service de l'Amérique), la version domestique des casques bleus. En 1974, je me retrouvai et habitai dans un quartier défavorisé de Cleveland où 95 % de la population vivaient des prestations d'aide sociale. J'avais pour travail d'aider les gens des minorités à démarrer une entreprise, une cause noble s'il en est une. Mon salaire ? Cent dollars par semaine.

Arrivé à Cleveland comme jeune penseur libéral de 21 ans, déterminé à servir comme soldat dans la guerre à la pauvreté, j'en repartis une année plus tard comme jeune penseur conservateur de 22 ans, déterminé à passer le reste de sa vie à creuser au maximum l'écart entre lui et la pauvreté autant que faire se peut.

UN PROFESSEUR APPREND SA LEÇON

Je partis pour Cleveland animée du désir de sauver le monde, alors qu'en définitive je me sauvai moi-même. Je m'y rendis pour enseigner aux pauvres comment se tirer du cercle de la pauvreté, et je m'enseignai des leçons chèrement apprises sur la pauvreté inhérente à nos programmes sociaux libéraux fautifs.

Mon séjour à Cleveland m'apprit :

- Qu'avant d'espérer faire une différence dans la vie des gens, vous devez la faire dans votre propre vie.

- Que la pauvreté n'est pas synonyme de dignité mais de désespoir.

- Que la condition de la plupart des pauvres tenait à une raison : ils ne travaillent pas.

- Que lorsque le gouvernement offre GRATUITEMENT nourriture et logement, cela ENLÈVE aux gens toute motivation au travail et toute fierté d'avoir accompli quelque chose.

- Que le travailleur social n'aide pas les gens à se sortir du cercle de la pauvreté, mais à y rester plus efficacement.

- Que les idées qui ne fonctionnaient pas avaient pour motif central d'obtenir quelque chose sans rien donner en retour, alors que celles qui fonctionnaient avaient pour but d'être payé pour un service ou un produit de valeur.

- Que les systèmes sociétaux qui drainent la richesse sont conçus pour gratifier la pauvreté, alors que les systèmes d'affaires conçus pour créer de la richesse gratifient la productivité.

- Qu'aucun gouvernement n'est assez gros ni assez riche pour sauver les gens d'eux-mêmes.

- Que, plus que tout, faire une différence positive dans la vie des gens et faire des profits vont de pair.

Voilà ce que mon séjour d'une année à Cleveland me permit d'apprendre, et les leçons apprises resteront à toujours gravées dans ma mémoire.

PAYER LE PRIX DU SUCCÈS

À coup sûr, l'expérience de Cleveland m'ouvrit les yeux. Elle m'apprit que bien qu'il n'existe aucune solution simple et unique aux plus grands défis de la vie, le « capitalisme humanitaire » du conservatisme est beaucoup plus utile et productif que l'« amour libéral » du libéralisme.

Aujourd'hui, je ne formule aucune excuse pour mon désir de faire plus d'argent tout en faisant une différence positive dans la vie des autres, et vous ne devriez pas en formuler non plus. Bien sûr, le présent livre avait pour but principal de vous enseigner comment faire plus de profits. Toutefois, je désire vous rappeler que dès lors que vous partagez l'occasion d'affaires Quixtar, vous détenez du même coup une position enviable pour faire une différence SIGNI-FICATIVE dans la vie des gens, sans oublier la vôtre. Peu nombreux sont ceux qui peuvent s'enorgueillir d'une telle chose, et jamais vous ne devriez prendre votre mission à la légère.

Lorsqu'un intervieweur demanda à Florine Mark, fondatrice de Weight Watchers, de définir son commerce, elle répondit : « Nous vendons le respect de soi. » Comme PCI Quixtar, vous vendez aussi le respect de soi et, en plus, l'autodétermination et le renforcement de l'autonomie.

N'oubliez jamais que vous avez choisi le modèle d'affaires Quixtar pour plusieurs raisons : faire une plus grande différence dans la vie des gens, faire plus d'argent, jouir de plus de liberté, d'une meilleure maîtrise sur votre vie ou de plus de temps en famille, ou jouir d'un plus grand respect de vous-même. Ces rêves sont tous aussi merveilleux et méritoires les uns que les autres. Alors, chérissez-les et protégez-les sagement.

Mais en vérité, si vous réservez toute votre attention aux prix des produits, vous perdrez sans doute de vue vos rêves. Il vaut mieux réserver votre énergie à l'atteinte d'objectifs plus élevés que vous arrêter à des prix plus bas. Vous tenez tout de même à vous concentrer sur le prix ? Que ce soit celui que vous êtes prêt à payer pour la libre gestion de votre temps et la liberté financière.

N'oubliez jamais que « le prix Quixtar est le bon ».

Quant à vos rêves, ils sont inestimables !

TABLE DES MATIÈRES